De Abricot à Tomate, une mine d'informations, d'astuces et de conseils.

Vie pratique Santé

L'auteur a listé les aliments santé les plus efficaces et explique comment en profiter au quotidien pour améliorer sa santé jour après jour.

Vie pratique Gourmand

De l'ananas à la châtaigne en passant par le kiwi, le pamplemousse, la pomme, le poireau, la salade, la tomate... Plus question de bouder les fruits et les légumes ! Grâce à ce petit guide pratique, on redécouvre tous leurs bienfaits et leurs saveurs.

Médecine douce

Du même auteur, aux éditions Leduc.s

Le programme brûle-graisses en 30 jours, avec Carole Garnier, 2010.
Pâtes minceur, avec Carole Garnier, 2009.
Une pomme par jour éloigne le médecin pour toujours, 2009.
Programme minceur IS en 15 jours, avec Carole Garnier, 2009.
Bonnes calories, mauvaises calories, avec Carole Garnier, 2009.
Le régime Thé, 2009.
Les meilleurs aliments anticancer, 2008.
100 recettes express Okinawa, 2008.
IS antikilos, avec Carole Garnier, 2008.
Verrines simplissimes à l'agar-agar, avec Carole Garnier, 2008.
Programme Portfolio en 15 jours, avec Isabelle Delaleu, 2008.
Smoothies minceur, 2008.
Les meilleurs aliments minceur, 2008.
Programme minceur agar-agar en 15 jours, avec Carole Garnier, 2008.
Le régime Portfolio, avec Isabelle Delaleu, 2008.

Cinquième impression (avril 2010)
33, rue Linné
75005 Paris – France
E-mail : info@editionsleduc.com
ISBN : 978-2-84899-205-1

ANNE DUFOUR

LA SANTÉ 100% NATURE

SOMMAIRE

5 FRUITS ET LÉGUMES PAR JOUR, C'EST FACILE !

5 fruits et légumes par jour. C'est le mot d'ordre lancé par l'OMS – Organisation Mondiale de la Santé. Mais pourquoi ? Et comment atteindre cet objectif, surtout si l'on part de zéro ou presque ? Figurez-vous que non seulement c'est facile, agréable, amusant, savoureux et économique mais qu'en plus, c'est bon pour la ligne. Un vrai produit miracle à cueillir au magasin en bas de chez vous !

Les grosses légumes, qui ont l'habitude de raconter des salades, ont parfois travaillé pour des prunes et fait chou blanc. Ces cœurs d'artichaut en ont eu gros sur la patate de donner de la confiture aux cochons. Ils sont repartis, mi-figue, mi-raisin, s'asseoir en rang d'oignon, jurant qu'ils préféraient encore manger des pissenlits par la racine que de recevoir une châtaigne !

Les fruits et légumes, nous en avons plein la bouche… mais ce sont surtout de mots dont il s'agit ! Car ces aliments, si familiers qu'ils enchantent la langue française pour la ponctuer d'émotions et d'exclamations, se font plutôt rares dans nos assiettes. Peut-être parce qu'on n'y pense pas, que la soupe évoque de vieux souvenirs fades, ou en-

core qu'une âme indélicate nous a forcés à avaler des salsifis ou des haricots verts « avec des fils ». Résultat : nous ne consommons pas suffisamment de fruits et légumes. Il faut que ça change ! Ce livre est là pour ça. Il ne prétend pas ramener sa fraise mais simplement s'occuper de ses oignons, histoire de vous donner envie de croquer la pomme pour avoir la pêche et ne pas vous retrouver bête comme chou ni rouge comme une tomate si l'on vous traite de cornichon.
L'objectif ? Redécouvrir toute la simplicité d'une poêlée de légumes tout juste revenus dans un filet d'huile d'olive, d'une belle salade multicolore, du « tchak-tchak-tchak » lorsqu'on tranche un oignon ou un concombre ; vous offrir mille et une idées pour plonger dans les délices de l'abricot (au four avec un peu de miel, vous avez essayé ?), du fenouil, de la tomate. Mais laissons la parole à ces surdoués de la nutrition : les stars, c'est le club des 5. Et puis, les fruits et légumes, ce sont ceux qui en parlent le plus qui en mangent le moins !

Petite histoire du « 5 par jour »

Plus de 7 hommes sur 10 ne mangent pas assez de fruits et légumes et les femmes font à peine mieux ! Pour être très précis, 72 % des hommes et 64 % des femmes consomment quotidiennement moins de 2,5 portions, soit 300 g au lieu des 600 g minimum « réglementaires ». Ce déficit varie beaucoup selon les générations : sans surprise, les 15-24 ans boudent davantage les végétaux que les plus de 65 ans… Hélas, la courbe de consommation des fruits et légumes frais évolue de façon exactement inverse à celle des maladies qui sévissent dans les pays occidentaux. Autrement dit, moins on mange de végétaux, plus on souffre de surpoids voire d'obésité, de diabète, de cancer et de maladie cardiaque, d'hypertension artérielle et plus on risque l'infarctus, l'accident vasculaire cérébral.
Voilà deux bonnes décennies que les nutritionnistes tirent la sonnette d'alarme, nous exhortant à renouer le dialogue avec les tomates, pommes, pêches et autres choux. En vain. Surpoids, obésité, diabète, et leur corollaire de troubles ne cessent de gagner du terrain.

Pour lutter contre cette érosion, des experts californiens (USA) ont imaginé, il y a quelques années, le concept « 5 par jour ». Il faut dire que parmi nos amis d'outre-Atlantique, certains ne mangeaient tout simplement JAMAIS de fruits ni de légumes. C'est pourquoi la Fondation des produits-santé (Produce for Better Health Foundation) et l'Institut national contre le cancer (National Cancer Institute) se sont lancés dans l'aventure dès les premières études prouvant l'utilité des végétaux pour la santé. Puis, de locale, l'initiative devint régionale, nationale et même internationale. Et, miracle entre les miracles, le message est passé ! Les Américains mangent aujourd'hui davantage de fruits et légumes. Pas énormément, mais un peu plus : une demi-portion pour être précis. Ça vous paraît peu ? C'est beaucoup : cette minuscule demi-portion est capable de faire chuter de 7 % le risque de développer un cancer. C'est dire si l'effort le plus minime est payant. Et la preuve que manger mieux est à la portée de chacun d'entre nous !

LA GRANDE FAMILLE DES FRUITS ET LÉGUMES

« Quand on n'a pas de tête, on a des jambes » nous rabâchaient nos grands-mères lorsque nous étions enfants, raillant notre étourderie. Bien vu, mais l'inverse est vrai aussi : les végétaux, qui n'ont pas de jambes, sont intelligents à leur façon. Comme ils ne peuvent pas se déplacer, ils ont développé un ensemble époustouflant de procédés anti-pourrissement, anti-froid, anti-chaud, anti-soleil, anti-microbe... anti-tout ! Viennent s'y ajouter des couleurs pour attirer certains insectes (fécondation), un système de cholestérol adapté, un squelette rigide mais souple, etc. Toutes ces fonctions sont assurées par des substances (flavonoïdes, vitamines C, E, bêtacarotène, fibres, phytostérols…), véritables mines d'or pour notre santé.

Les « pouvoirs magiques » des fruits et légumes

Les fruits et légumes font les délices des grands chefs. Certains ne jurent d'ailleurs même que par eux, et la « tendance » est aux menus exclusivement « verts ». Bels et bons, ils ont tout pour plaire. Et pour une fois, la gourmandise n'est pas un vilain défaut, puisque voici 16 bonnes raisons de manger plus de fruits et légumes.

16 excellentes raisons de rentrer dans le « club des 5 »

1. Ils représentent l'archétype même des aliments adorés par les nutritionnistes : peu de calories mais plein de vitamines, minéraux, sucres lents. Le contraire des calories « vides » (représentées par les aliments gras et sucrés n'apportant que des calories sans élément bénéfique).
2. Ils aident à garder la ligne. En effet, ils regorgent d'éléments « antikilos ». Par exemple, des pectines, fibres formant une sorte de gel dans l'estomac pour y piéger sucres et graisses afin de les éliminer. Les pectines procurent, en outre, un remarquable effet coupe-faim.
3. Ils apportent des sucres « lents », aussi importants pour l'énergie que pour l'humeur. Une caractéristique vitale pour les diabétiques.
4. Quand on les mange crus (ce qui est presque toujours le cas pour les fruits), on préserve leurs vitamines, surtout la C, ainsi que leurs enzymes, sensibles à la chaleur.
5. Tout le monde les aime, même les enfants. Il suffit parfois d'un peu de créativité…
6. Ils améliorent à eux seuls l'équilibre alimentaire de la journée.
7. Ils participent très activement à la prévention de la majorité des cancers (surtout prostate, sein, côlon, estomac, peau, poumons) ainsi que des maux liés à l'âge, comme l'ostéoporose, le diabète, la cataracte, les maladies neurologiques ou respiratoires.

8. Ils aident à maîtriser la pression artérielle et le cholestérol. Donc, ils protègent le cœur.
9. Ils freinent le vieillissement grâce à leurs multiples antioxydants.
10. Ils aident à prévenir les troubles digestifs, des plus bénins aux plus graves.
11. Ils atténuent les effets néfastes d'aliments moins bénéfiques (plats salés, gras, trop cuits…)
12. Ce sont les champions de l'apport en potassium. Or, ce dernier s'oppose au sel, donc à la rétention d'eau. Plus on mange de végétaux, plus on élimine, donc moins on « gonfle ».
13. Ils garantissent l'équilibre interne du corps (acido-basique), un point essentiel à la santé et dont on parle trop peu.
14. Ils font absorber de l'eau sans en avoir l'air. Fruits comme légumes frais en renferment tous entre 80 et 96 %.
15. Ils occupent l'assiette et l'estomac – donc psychologiquement et mécaniquement, ils « remplissent » – pour un apport calorique mini.
16. On peut en manger de grandes quantités (attention à l'assaisonnement !) sans exploser le quota calorique.

Des goûts et des couleurs

Quel rapport y a-t-il entre un melon d'un bel orangé, une tomate extra-rouge, du raisin noir de noir et des grains de maïs jaune… maïs ? Tous ces fruits et légumes voient la vie haute en couleur. Or, la couleur, c'est la vie, une grande marque de peinture nous l'a suffisamment répété. Dans le règne végétal, qui dit « couleur » dit « pigments », donc « flavonoïdes » (de puissants antioxydants) et « terpénoïdes » (dont le célèbre bêtacarotène).

Finis ta soupe si tu veux mincir !

La soupe fait maigrir ! En tout cas, elle aide autant qu'elle peut. À condition de ne pas la préparer (ou la choisir) n'importe comment. Ce qui « marche », c'est la soupe avec des morceaux : imbattable coupe-faim. Les potages lisses, mixés, calment moins l'appétit. Si l'objectif est de mater votre faim, préférez sans hésiter les soupes chinoises, et autres bouillabaisses, aux veloutés de légumes que vous préparait Mamie. Les mangeurs de soupe avalent 20 % de calories en moins que les autres, à chaque repas. Faites le calcul sur un an !

Nous savons depuis longtemps que les myrtilles améliorent la vision (surtout nocturne) et que le rouge des cerises est une substance 10 fois plus antalgique que l'aspirine, capable d'apaiser les douleurs de l'arthrite. Plus récemment, on a découvert que le rouge des tomates aide à prévenir le cancer de la prostate ou que le jaune du maïs est un élément extrêmement protecteur pour l'œil. Certains de ces pigments sont si puissants qu'ils protègent le cœur et aident l'organisme à combattre le cancer.
Et en allant plus avant dans leurs recherches, les scientifiques ont remarqué qu'il ne suffisait pas

de consommer 5 fruits et légumes par jour, encore fallait-il qu'ils soient différents et que, globalement, ils couvrent la palette de couleurs dans la journée ou, en tout cas, dans la semaine. C'est un repère facile pour savoir d'un seul coup d'œil si l'on a bien son quota de pigments très protecteurs ! Pour résumer, plus notre assiette est colorée, plus elle arbore de tons différents, et mieux elle protège la santé. C'est l'une des raisons pour lesquelles les nutritionnistes plébiscitent les plats « mélangés » (exemple : pot-au-feu, dans lequel baignent des légumes différents) et préfèrent une assiette où se côtoient des petites portions de 2 ou 3 légumes en plus de votre viande ou poisson, plutôt qu'une grosse platée de haricots verts sans nuances.

Une stratégie de survie extrêmement élaborée

La Nature ne s'encombrant guère de notions esthétiques, ces pigments ne servent pas seulement à « faire joli ». Ce « détail décoratif » est en réalité l'élément majeur d'une stratégie de survie extrêmement élaborée. Rappelons-nous que les végétaux n'ayant pas de pied (à part les champignons, mais ils ne s'en servent guère pour marcher !), ils ne se déplacent pas. Et doivent donc lutter où ils se trouvent, comme de bons petits soldats, contre les aléas du climat, les virus, les microbes, les champignons microscopiques (pourrissement) et, surtout, les rayons solaires qui les bombardent sans cesse du matin au soir. En fait, les végétaux vivent dans un milieu bombardé d'ultraviolets qui tueraient la plupart d'entre nous ! Car si le soleil est vital pour la plante, il génère aussi un nombre incroyable de radicaux libres, exactement les mêmes qui nous donnent des rides voire, à l'extrême, un cancer de la peau. Les pigments, donc, sont également une super « crème solaire » pour végétaux.

Du sang vert dans les veines

Lorsqu'on fait pousser des tomates qui ne peuvent pas rougir (variété particulière), les rayons solaires endommagent sa chlorophylle au point de la détruire. Or, la chlorophylle, « sang végétal », est essentielle à la survie des végétaux. Si elle est verte et non rouge (comme notre hémoglobine), c'est parce qu'elle renferme du magnésium à la place de notre fer.

En plus, grâce à toutes ces couleurs hypnotisantes, la plante (surtout la fleur) attire les insectes et les oiseaux pollinisateurs, assurant par ce biais une étape fondamentale de sa reproduction. Non seulement la couleur charme les « proies », mais la délicate représentation de formes ressemblant aux partenaires habituels de l'oiseau ou de l'insecte est décisive. Une fois la pollinisation réalisée, certaines plantes, en modifiant leur composition en flavonoïdes, changent de couleur pour éviter une seconde rencontre, qui leur serait néfaste. Décidément, dans le monde des plantes, la décoration est un outil de communication (y compris de mensonge !) mais aussi de protection.

Les 2 grandes familles de couleurs

	Les **anthocyanes** (famille des flavonoïdes)	Les **caroténoïdes** (famille des terpènes ou terpénoïdes)
Couleur	**Rouge foncé, violet, bleu, noir**	**Jaune, orangé, rouge, vert (si mûr)**
Vous en avez entendu parler…	Tous sont des polyphénols	Bêtacarotène, alpha-carotène, lycopène, lutéine, zéaxanthine, astaxanthine…
On en trouve dans…	Petits fruits (baies, groseilles, cassis, mûres, myrtilles, airelles), cerises, prunes, fraises, framboises, raisin (donc vin rouge), aubergines, canneberge (cranberry), grenade, pomme (avec la peau !), oignon rouge, mangue, asperge, prune, pruneau.	Carotte, maïs, tomate, pastèque, melon, oseille, épinards, chou frisé et de Bruxelles, brocoli, cresson, poivron rouge, betterave, pomme (avec la peau !), patate douce, orange, algues, mangue, citrouille, abricot, artichaut (avec les feuilles, pas seulement le cœur !), asperge, kiwi.

Note - Certains fruits et légumes apportent à la fois des caroténoïdes et des flavonoïdes, d'où leur présence en « double » dans ce tableau.

Quel rapport entre cette belle palette de peintre et nous ? Les pigments, vitaux pour les plantes, le sont aussi pour nous. Nous avons vu que les « couleurs » nous protègent de bien des maux et améliorent les fonctions de nos organes, soit grâce à leurs propriétés antioxydantes, soit en renforçant les vaisseaux sanguins, la densité osseuse ou encore en faisant baisser notre taux de cholestérol… Pour mieux faire connaissance avec ces bienfaiteurs de l'humanité, voici un bref aperçu de leurs capacités.

Flavonoïdes, les nouveaux antioxydants

Ils déclenchent les passions chez les traqueurs de substances antiâge, et ont été récemment consacrés « nouveaux antioxydants ». En réalité, ils n'ont rien de neuf puisqu'on s'y intéresse depuis la découverte de la vitamine C en 1932 ! En effet, les symptômes hémorragiques du scorbut liés à la fragilité des vaisseaux étaient guéris par du paprika ou du jus de citron. Cette maladie touchait en priorité les marins, car les poissons et fruits de mer sont totalement dépourvus de vitamine C et de flavonoïdes. Le traitement par la vitamine C seule était peu efficace. Les chercheurs ont alors découvert que les véritables sauveurs de nos aventuriers des mers étaient des substances qu'ils nommèrent « vitamine P », rebaptisées plus tard « flavonoïdes ». Les effets biologiques de ces derniers ne se limitent donc pas à une action antioxydante : antispasmodiques, anti-inflammatoires, anticancers, antiviraux, ils protègent les graisses de l'oxydation, s'opposant à la formation de la fameuse « plaque d'athérome », responsable à terme des obstructions d'artères (infarctus, accident vasculaire cérébral). Ils inhibent l'activité d'une enzyme qui contribue à l'apparition des cataractes, diminuent le taux de cholestérol, luttent contre l'altération des fibres de collagène de

la peau, ralentissant son vieillissement, sont anti-allergiques, protecteurs du foie... il est difficile d'évaluer exactement leurs propriétés, tant celles-ci sont étendues, contrairement à celles d'un médicament qui agit sur une cible bien précise.
Plus de 4 000 types de flavonoïdes ont été à ce jour identifiés dans la nature, mais seuls 70 sont représentés dans nos aliments, dont 40 nous seraient réellement bénéfiques.

Dans la famille « flavonoïdes »…

Exactement comme pour les fibres, il existe :

- les **flavonoïdes insolubles**, aussi appelés « tanins » : on les trouve dans le thé et le vin rouge. Ce sont avant tout des piégeurs de fer, ils protègent des cancers digestifs (notamment côlon et rectum) ;
- les **flavonoïdes solubles**, absorbés par le corps, minuscules molécules extrêmement anti-oxydantes.

Caroténoïdes, au cœur des congrès médicaux

Les spécialistes du monde entier se retrouvent régulièrement aux quatre coins de la planète pour débattre autour de… la tomate. Ou plus exactement du lycopène (le rouge de la tomate), promis à un bel avenir médical. Mais les carotènes font salon et alimentent les discussions les plus pointues en matière d'alimentation depuis quelques années déjà. Tout comme les flavonoïdes, les caroténoïdes ne sont pas considérés comme nutritifs au sens propre du terme. En effet, il ne « nourrissent » pas, mais ils protègent, et de façon magistrale ! Ils nettoient, détoxiquent, captent le cholestérol ou empêchent sa fabrication par le foie, calment l'inflammation…

LES CAROTÉNOÏDES PEUVENT-ILS ÊTRE DANGEREUX ?

C'est ce que laissait suggérer une vieille étude portant sur la supplémentation en bêtacarotène des fumeurs. En fait, on sait aujourd'hui que favoriser un carotène par rapport à un autre… réduit la teneur de ce dernier. Une belle illustration du principe des vases communicants. Une situation qui ne risque pas d'arriver avec les aliments riches en carotènes, surtout si on mange un petit peu de chacun d'entre eux ! Sachez en outre que la plupart renferment divers types de caroténoïdes pour un parfait équilibre. Par exemple, la carotte apporte de l'alphacarotène, du bêtacarotène, de la bêta-cryptoxanthine, de la lutéine et du lycopène. Or, l'on sait que les carotènes sont plus protecteurs lorsqu'ils sont consommés conjointement. La purée de carottes a de beaux jours devant elle et Bugs Bunny n'est pas près de s'arrêter de courir !

Tous les carotènes ont leur utilité. Le bêtacarotène protège surtout la peau et le cœur, le lycopène est fortement antioxydant, la lutéine et la zéaxanthine préviennent la dégénérescence maculaire et

la cataracte (deux maladies graves de l'œil), etc. Chaque organe stocke « ses » caroténoïdes préférés en fonction de ses propres besoins.
600 caroténoïdes sont identifiés et répertoriés, dont 50 seulement dans les aliments et à peine 25 passent dans la circulation sanguine (donc sont effectivement utiles) !

Le homard pique un fard

D'accord, le homard n'est ni un fruit, ni un légume. Pourtant, sa carapace bleu pourpre au fond de la mer devient rouge vif après cuisson. Explication : dans son corps, le crustacé dissimule de l'astaxanthine, un caroténoïde. Lorsqu'elle est liée à une protéine spécifique du homard, elle est aplatie et bleue. Mais sous l'effet de la chaleur (cuisson), la protéine se déforme tant que l'astaxanthine, libre, brille de tous ses feux orange et rouges !
Cette anecdote pour rappeler que les carotènes sont également présents dans les algues microscopiques qui confèrent aussi bien leur couleur orange aux crevettes qu'aux saumons, aux flamands roses ou… aux crustacés.

Le jeu des 7 familles…

Les 2 grandes familles représentées page 17 ont « fait des petits ». En effet, il existe de grandes différences entre, par exemple, les choux et les carottes, même s'ils font tous les deux partie des caroténoïdes. Pour préciser un peu les choses, le Pr Herber (directeur du centre de nutrition humaine à l'Université de Californie – USA) a classé les fruits et légumes en 7 familles. Vous connaissez le principe : le jeu est de « totaliser » le maximum de familles et le maximum de membres dans une même famille. Au-delà de cet aspect ludique, des arguments scientifiques solides : tous les végétaux apportent des phytonutriments bénéfiques, mais chaque famille apporte les siens. Et ne manger que des carottes permet certes de protéger sa peau et ses poumons, mais pas la prostate ni la rétine. Ce que font très bien les tomates et le maïs.

Les 7 familles des fruits et légumes			
Famille	Aliment type	Substance utile	Intérêt
1. Famille rouge	Tomate	Lycopène	Antioxydant, anticancer de la prostate, protection du cœur et des poumons
2. Famille violette	Figue	Anthocyanes	Protège le cœur et les vaisseaux. Retarde l'apparition des maladies mentales dégénératives (type Alzheimer)
3. Famille jaune/orange	Ananas	Bêta-cryptothanxine	Anti-maladies cardiaques et anticancer

➲

Famille	Aliment type	Substance utile	Intérêt
4. Famille orange	Carotte	Alpha-carotène et le bêta-carotène	Anticancer, protège la peau
5. Famille blanc	Ail	Composés soufrés	Anticancer, antibiotiques, antiseptiques, antioxydants, diurétiques, protègent le squelette
6. Famille vert foncé	Choux	Sulforaphane, isocyanate, indoles	Anticancer
7. Famille jaune/vert	Maïs	Lutéine, zéaxanthine	Anti-dégénérescence de l'œil (cataracte, dégénérescence maculaire) et protègent le cœur

Couleurs au menu

Plus on avale de couleurs différentes, dans l'idéal le spectre entier des « 7 familles », mieux ça vaut. Pour cela, pas de mystère.

- Il est nécessaire de consommer **au moins 5 fruits et légumes par jour**, si possible de couleurs différentes.
- Les végétaux se défendent surtout de l'extérieur par… l'extérieur c'est-à-dire leur peau. Voilà pourquoi il est fondamental de les man-

ger avec la peau. Croquez la pomme les pommes de terre, les raisins avec la peau ! **Lorsque c'est possible, évitez d'éplucher** : mieux vaut gratter. Évidemment, le produit doit être lisse, beau, brillant, impeccable. L'enveloppe végétale sera uniquement consommée à cette condition *sine qua non* !

- **Plus un fruit ou un légume est coloré, plus il est intéressant**. Mieux vaut du melon de Cavaillon que du melon d'eau, un pamplemousse rose qu'un blanc, de la mâche plutôt que de l'iceberg, des asperges vertes plutôt que blanches, un brocoli bien foncé plutôt que pâle et jauni, etc.
- **Plus les fruits et légumes sont mûrs, plus ils renferment d'anthocyanines.** Cela varie du simple au triple et le chiffre peut même être multiplié par… 20 (cerises) ! En outre, parfaitement matures, ils sont aussi plus goûteux et mieux pourvus en vitamines.
- **Les fruits et légumes bio sont mieux pourvus en flavonoïdes que les autres.** Une étude scientifique, parue dans le *Journal of Agricultural and Food Chemistry,* montre ,par exemple, que **les végétaux bio renferment plus de flavonoïdes** que ceux cultivés à grands coups de fertilisants et de pesticides ! Danny Asami, scientifique à l'université de Californie, a comparé les teneurs en flavonoïdes de fraises et de maïs issus soit de l'agriculture biologique soit de l'agriculture conventionnelle. Les résultats montrent que le maïs bio contient 59 % de flavonoïdes de plus que le maïs « classique », et que les fraises bio

ont une teneur en flavonoïdes plus élevée de 19 %. Une raison de plus pour privilégier ce type de culture. C'est, somme toute, logique puisque les flavonoïdes sont destinés à protéger la plante : si les pesticides font le travail à leur place, le végétal en fabrique moins.

- **L'ultra-frais, bio et de saison, est le meilleur choix.** Mais pour varier les couleurs, n'hésitez pas à faire appel aux surgelés ou même aux boîtes de conserve. Par exemple, les sauces tomate en boîte sont bourrées de lycopène et les épinards surgelés renferment beaucoup plus de vitamine C que les frais ayant patienté plus de… 2 jours au réfrigérateur. Pas de préjugés s'il vous plaît ! Même les salades en sachets sont presque au point. Bien qu'encore fadasses, vraiment chères et de plus mieux vaut les rincer !

Des couleurs à boire !

Les **jus de fruits** sont évidemment bourrés de pigments intéressants… mais aussi de sucre.

Pour bénéficier des flavonoïdes du **thé** vert et noir, il ne faut pas ajouter de lait dans ce breuvage. En dépit de leur fanatisme envers le tea time, les Anglais, champions haut la main des théinomanes d'Europe, n'en tirent aucun bénéfice à cause de leur sempiternel nuage de lait. Ce dernier se lie aux flavonoïdes et nous empêche de les absorber. Adieu protection anticarie, anticancer et cardiaque… Le thé vert est 10 fois plus riche en catéchines (flavonoïdes) que le thé noir.

Les amateurs de **vin rouge** ne dépasseront pas les 2 verres par jour et prendront soin de choisir un breuvage de qualité. Car, si les teneurs en resvératrol (le flavonoïde majeur du vin) grimpaient auparavant jusqu'à 10 mg/litre, l'utilisation systématique de pesticides ne laisse plus guère au raisin la possibilité de le fabriquer. Évidemment : il produisait le resvératrol pour se protéger du pourrissement ! Pourquoi ne pas goûter les vins rouges bio ? Certains sont vraiment délicieux. C'est d'ailleurs dans les belles grappes de raisin noir bio que se fournissent les fabricants de compléments alimentaires de resvératrol. Alors…

Rappel : le resvératrol est si puissant que l'Organisation Mondiale de la Santé estime qu'à lui seul il réduit de 40 % le risque cardio-vasculaire ! Et de nombreuses études extrêmement rigoureuses montrent son indéniable utilité pour lutter contre le cancer, quel que soit son stade – même si, bien entendu, il ne soigne pas la maladie.

Alors ? Pas d'accord avec Ford qui disait « les gens peuvent choisir n'importe quelle couleur pour la Ford T, du moment que c'est noir ». On veut de la diversité, des arcs-en-ciel dans nos assiettes !

Les 1001 façons d'en profiter

Personne ne vous oblige à ingurgiter des épinards si vous n'aimez pas ça. Il existe suffisamment de fruits et de légumes sur notre planète pour trouver son bonheur !

Personne ne vous force non plus à suivre un régime « poisson blanc/haricots vapeur » sans as-

saisonnement. Un filet d'huile d'olive, une pincée d'épices, quelques grains de poivre et voilà un nouveau plat qui n'attend plus que vous pour... passer à la casserole. En fait, contrairement à l'image qu'ils véhiculent parfois, les fruits et légumes sont des aliments fort sympathiques, pour peu qu'on prenne la peine de jouer un peu avec eux. Savoureux – un rien les fait chanter –, malléables – crus, cuits, râpés, tranchés, en billes, entiers, en cubes, nature, en jus, en cocktail, en soupe froide ou chaude, en salade, en purée, en mousseline... – tout leur va !
Personne, enfin, ne vous cloue sur une chaise, un couteau économe à la main, pour éplucher pendant des heures chaque soir le quota des légumes du lendemain, avec les épluchures qui tombent sur le papier journal et qui tachent les doigts. Si vous avez le temps et que vous aimez, c'est évidemment l'idéal. Mais il existe des plans bis : les légumes archi-frais qui ne réclament aucun épluchage (petites pommes de terre, asperges fines, concombre parfait) ou encore les surgelés, par exemple. Ils sont là pour nous faciliter la vie !

Mon problème c'est...

Globalement, nous sommes tous convaincus que les légumes, c'est bien. Mais de la conviction à la consommation, il existe tout un tas de faux obstacles qui donnent l'impression d'être bien trop hauts pour notre petit cheval pétri de bonnes intentions. C'est pourquoi de nombreux médecins estiment que de longs discours sur l'intérêt des végétaux sont moins utiles qu'une aide pratique et quelques conseils de base. Voici un petit récapitulatif des problèmes les plus « insurmontables », et leurs solutions les plus simples.

« Je n'ai pas l'habitude de manger des légumes. »
On en parle d'emblée parce que, finalement, c'est surtout là que se situe le blocage. C'est vrai, il faut sauter le pas, penser autrement. Ne chamboulez pas brusquement vos habitudes culinaires si vous n'avez pas trop le réflexe végétal. Procédez par étapes. Commencez par les introduire par petites touches dans votre alimentation quotidienne, vous ne pourrez rapidement plus vous en passer.

Vous pouvez piocher des idées parmi ces quelques exemples.

- **Débuter le repas** par une feuille ou deux de salade verte, une crudité, une soupe.
- Proposer le fromage, les fruits de mer ou la charcuterie avec de la **salade**, **quelques grains de raisin**, ou **quartiers de pomme ou poire**.
- Dans les **sandwiches** ou les **pique-niques**, introduire quelques feuilles de salade et rondelles de tomates.
- Ajouter un peu **d'oignon** ou **d'ail** dans vos plats. UN PEU.
- Couper des **fines herbes** sur tout ce qui vous passe sous les yeux : omelette, plat chaud, salade…
- Penser aux « tagliatelles » de légumes lorsque vous faites cuire des **pâtes** : courgette, carotte

dans le sens de la longueur. Le tout cuit en même temps, facile !

- A **l'apéritif** remplacer les chips et autres mines de gras par des tomates cerise, des petits bouquets de chou-fleur, des radis.
- Sortir des sentiers battus : goûter le « steak de soja » (**tofu**) à la provençale, qui « appelle » automatiquement une petite salade.
- En cas de **flemme aiguë**, préférer les endives, la mâche ou les salades en sachet plutôt que le tarama ou le saucisson.

« ***Ça ne se garde pas assez longtemps.*** »

C'est vrai, le frais s'abîme très vite. Mais ce n'est pas une raison pour tout laisser tomber. La plupart des légumes se conservent quelques jours au réfrigérateur, et certains jusqu'à une semaine. Par ailleurs, rien ne vous empêche de faire appel aux surgelés, on l'a dit et répété. Quant aux fruits, la plupart supportent parfaitement un peu d'attente, à condition de les placer dans des conditions optimales pour chacun : nous vous donnons tous les conseils dans ce livre.

« ***Je ne sais pas les choisir.*** »

Au marché, **expliquez votre cas**, très répandu, au vendeur de fruits et légumes. Faites-lui confiance, il vous proposera les produits mûrs pour ce soir, le lendemain, la semaine, vous donnera des tuyaux de préparation, de cuisson, d'association, vous dira avec quelle viande ça va ou ça ne va pas, bref, vous deviendrez incollable sur le fenouil, la betterave ou le soja, des légumes qui vous laissaient terriblement perplexes jusque-là. Les marchands de légumes adorent donner des conseils et ils le font très bien !

« Je ne sais jamais si c'est frais. »
Les légumes sont de plus en plus beaux, calibrés, brillants et… pourtant pas forcément mûrs. Du coup… on ne sait plus trop comment les choisir. Trois points de repère :

- la **peau** doit être nickel, bien tendue et de couleur homogène (pas de taches ni de blessures, pas d'endroit mou) ;
- **l'odeur** doit être agréable et très spécifique au produit (poireau, tomate), ou très discrète (pomme de terre, aubergine).
- lorsqu'il y a une **base** (artichaut, chou, salade), elle doit être ferme et jamais brune.

« J'ai l'impression que mes légumes s'abîment entre le magasin et chez moi. »
C'est un problème que rencontrent majoritairement des personnes qui font leurs achats en grande surface. Arpenter les allées c'est long (c'est pour la semaine), on fait la queue à la caisse (parfois très, très longtemps), puis retour en voiture avec dans le coffre des sacs de 15 tonnes qui s'écrasent les uns sur les autres. Avec un peu d'organisation, tout s'arrange.

- Ranger mentalement les végétaux dans la même catégorie que les surgelés : « **Attention, fragiles** ». Donc à choisir en dernier et à poser sur le dessus du Caddie.
- En cas de long trajet entre le magasin et la maison, et si en plus il fait très chaud, penser

aux **sacs isothermes** bien pratiques, voire indispensables en période estivale. À la maison, ranger rapidement ses achats par famille.

– **Les produits verts** (salade, concombre, épinards, artichaut, poireaux, haricots verts) plongent tout de suite dans le bac à légumes (sans leur sac plastique !).
– **Les légumes à utiliser le jour même** restent sous la main s'il fait frais et obscur, sinon ils rejoignent les produits verts.
– **Les pommes de terre**, ail et oignon patientent hors du frigo, mais ne subissent ni la pleine lumière ni la canicule.

« Je ne sais pas les préparer »/« c'est trop long. »

Fréquent aussi, et en aucun cas une bonne raison de se priver de leurs bienfaits. Vous disposez dans ce livre de dizaines d'idées cuisine à réaliser en quelques minutes chrono. Toutes les astuces ont été testées et approuvées par votre serviteur, qui n'est ni cuisinière ni spécialement créative, juste très gourmande !

« Je laisse tremper les légumes, c'est plus facile que de les rincer. »

C'est sûr, mais c'est aussi la garantie de perdre une bonne partie des minéraux dans l'eau. Et en plus ça ne rince pas si bien que ça. Donc, là encore, deux conseils à apprendre par cœur.

- Rincer les légumes **avec leur peau** (l'épluchage éventuel arrive ensuite).
- **Ne rien laisser tremper** ; passer sous l'eau vive suffit amplement.

- La **salade** se nettoie toujours soigneusement, **feuille par feuille**. En cas d'impatience maladive, acheter de la mâche (déjà rincée) ou une endive (dont on passe seulement l'extérieur sous le robinet), éventuellement une salade en sachet. Mais bon...

« Je digère mal plusieurs légumes, pourtant j'épluche tout à fond. »

C'est peut-être ça le problème. Par exemple, la peau du concombre contient de la pepsine, une enzyme qui aide à la digestion : pauvre concombre, souvent mal toléré car écorché vif ! En outre, en épluchant, vous vous privez d'une bonne partie des vitamines, minéraux, carotènes et flavonoïdes, c'est vraiment dommage. Enfin, peut-être que ce que vous ne supportez pas bien ce sont :

- **les fibres** – dans ce cas faites cuire légèrement tous vos légumes et évitez surtout les crudités trop fibreuses. Des concombres revenus quelques minutes à la poêle, c'est un vrai délice !
- **les pépins** – épépinez les tomates, les concombres, les poivrons…
- **la méthode de cuisson** – personne ne possède de système digestif capable de supporter des fritures tous les jours. Ce qui n'empêche pas la majorité de nos concitoyens de s'obstiner dans cette voie, quitte à somnoler après chaque repas. Cuisson vapeur + huile d'olive = LA réponse aux troubles digestifs de cette catégorie.

« Je prépare tout à l'avance, comme ça je gagne du temps, mais je trouve que les légumes découpés s'abîment vite. Souvent je dois les jeter. »
Bien sûr qu'ils s'abîment vite ! Pensez que dans la nature, au magasin, dans votre sac, ils ont tout supporté parce qu'ils étaient intacts. Dès que vous les épluchez et les coupez, vous les blessez. Au contact de l'air, la chair se gâte rapidement. Donc, là encore, deux obligations :

- **Les crudités** se préparent toujours au dernier moment, qu'il s'agisse de légumes ou de fruits. On ouvre les avocats lorsqu'on passe à table, etc.
- Il faut toujours les arroser d'un **filet de citron**, car la vitamine C les empêche de s'oxyder et de noircir.

« J'en prépare toujours des kilos et je ne sais pas quoi faire avec les restes. »
Préparez-en moins ! Sans rire, c'est vrai qu'il vaut mieux éviter de conserver au réfrigérateur des légumes cuits. Une journée ça va, parfois deux mais, au-delà, c'est vraiment risqué voire carrément toxique (épinards). Sans parler de la perte en vitamines.

- On ne fait pas 6 litres de soupe si l'on vit seul, **on adapte**.
- **On peut congeler** de temps à autre des plats, mais il faut néanmoins les consommer rapidement. Bien respecter les normes d'hygiène, employer des sacs de congélation, etc.

« C'est cher. »
Faux ! Comparons les prix de divers produits pour 4 personnes.

La soupe de poireaux (1 litre)

Soupe maison	Soupe déshydratée	Soupe en brique	Soupe au rayon frais
0,95 €	1,10 €	2,19 €	5,83 €

Céleri rémoulade fait maison	Céleri rémoulade en barquette	Céleri rémoulade traiteur
0,37 € (1,83 € le kilo)	0,98 € (4,90 € le kilo)	2,20 € (11,02 € le kilo)

Purée pomme de terre maison	Purée pomme de terre déshydratée	Purée pomme de terre fraiche (5e gamme)	Purée pomme de terre surgelée
0,6 €/kg	0,8 €/kg	6,4 €/kg	2,40 €/kg

Source : Aprifel (Agence Fruits et légumes Frais).

En bonus, la supériorité nutritionnelle écrasante du fait main : pas d'additif, moins de sel et de gras, etc. Bien sûr, si vous voulez à toute force acheter des produits hors saison, il est logique de les payer cher. C'est vous qui voyez. Mais en respectant les saisons, vous obtiendrez des produits goûteux, sains et abordables. N'hésitez pas à faire les fins de marché, les vendeurs bradent leurs derniers produits. Certains d'entre eux proposent aussi des corbeilles en promotion (mélanges). En supermarché, il est très rare de ne pas tomber sur une « semaine exceptionnelle » « avocats d'Israël » ou « artichauts de Bretagne ». Vous auriez tort de vous en priver !

Le parfait cuisinier « des 5 »

Imaginons que vous achetiez un magnifique pull marin, doux et chaud et que, de retour chez vous, vous le découpiez en lambeaux avec une paire de ciseaux bien affûtée. Vous ne voyez pas l'intérêt ? C'est pourtant exactement ce qui se produit lorsque votre mode de préparation et/ou de cuisson annule tous les bienfaits des légumes tout frais revenus du marché.

Les légumes passent à la casserole…

De nombreux légumes peuvent se consommer crus. Il n'y a pas que les carottes râpées ou les tomates en pique-nique, dans la vie ! Mais on aime aussi quand ils passent à la casserole… ou subissent d'autres sorts encore plus terribles. Vous avez remarqué : une carotte râpée n'a pas du tout le même goût que cuite à l'eau, à la vapeur, ou revenue à la poêle. Il y a de multiples façons de redécouvrir des légumes dont vous imaginiez peut-être avoir « fait le tour ». C'est comme dans un vieux couple : on découvre des choses étonnantes sur l'autre, parfois tardivement… Par exemple, des tronçons de concombre poêlés, vous avez déjà goûté ? Et une salade de courgette crue ? Et du brocoli cru, râpé sur de la salade ? Bon, alors !

Temps de cuisson en minutes (selon mode choisi)							
	Cru	Vapeur	Micro-ondes	Poêle	À l'eau bouillante	Papillote	Four
Ail	Oui	10	–	5	3	20	20
Artichaut	Non*	10	8	–	40	–	–
Asperge	Non	8	8	10/15	20/30	–	–
Aubergine	Non	10	–	10	–	15	15/20
Avocat	Oui	déconseillée					
Brocoli	Oui	5	7	–	7/10	2/3	–
Carotte	Oui	10	12	10	15	3/8	–
Céleri branche	Oui	10	–	15	–	3/8	–
Céleri-rave	Oui	10	10	–	20	3/8	–
Champignon	Oui	8	10	10	7	8	10
Châtaigne	Non	35	–	20	15	–	20
Chou-fleur	Oui	10	5	10	20	–	–
Concombre	Oui	7	–	5	8	–	10
Courgette	Oui	4	4	10	4/15	4/5	5/15
Endive	Oui	20	10	15	25	–	25/35
Épinard	Oui	2	4	5	5	5	–
Fenouil	Oui	8	8	20	30	15	45
Haricot vert	Non	10	8	8	9	–	–
Oignon	Oui	–	35	10	–	15	60
Poireau	Non	7	10	12	20	5	–
Petit pois	Non	5	8	8	10	5	
Poivron	Oui	10	4	10	20	5	20
Pomme de terre	Non	15/25	–	10/15	20/25	–	60/90
Potiron	Oui	10/15	10	20/25	20/30	30/60	10/15
Salade	Oui	déconseillée					
Soja	Oui	–	–	2	–	–	–
Tomate	Oui	5	–	15	2/3	10	20

* sauf poivrades – rares

– = déconseillé

Un bon cuisinier travaille avec de bons outils

Dans votre cuisine propre et rangée, voici ce qu'on doit trouver à portée de main ou d'œil.

- **Un plan de travail** ou au moins une grande planche (en plastique plutôt qu'en bois).
- **Un couteau économe**. D'une manière générale il est conseillé de conserver la peau des légumes au moins pour la cuisson et, dans bien des cas, vous pouvez la manger. Mais certains végétaux réclament l'épluchage. Le couteau économe permet d'ôter la peau superficielle mais de conserver la couche juste dessous, souvent bien pourvue en vitamines et minéraux.
- **Une brosse** pour nettoyer les légumes qui ne sont pas passés à « l'économe ». Les primeurs ou les champignons par exemple. Ou les légumes bio (carottes…) qu'il n'est pas nécessaire d'éplucher.
- Plusieurs **couteaux** fins et bien affûtés.
- **Une fourchette**, pour extraire facilement le jus de citron sans s'embarquer dans des galères de presse-agrumes.
- **Un presse-ail**. C'est INDISPENSABLE.
- **Un cuit-vapeur**. C'est aussi INDISPENSABLE. Hyper-simple à utiliser, hyper-rapide pour cuire, hyper-facile à nettoyer. On peut accélérer encore les choses en taillant certains légumes volumineux en rondelles. Cet appareil magique préserve même les couleurs et le croquant des aliments les plus délicats. En plus, on peut préparer en même temps des légumes et des fruits sans risque de mélanger les goûts.

- **Des casseroles et poêles de qualité, à fond épais**. C'est beaucoup plus important qu'on ne le croit, car moins les aliments sont proches de la source de chaleur (flamme ou halogène), mieux ça vaut.
- **La poêle** recommandée pour les légumes qui rendent de l'eau (champignons, courgettes).
- **Des épices**, du sel de qualité (pas du raffiné !), un ou deux citrons, des gousses d'ail, des oignons et/ou de l'échalote.

Textures : c'est l'aventure !

Qui a dit que nous devions exclusivement avaler des courgettes entières cuites à la vapeur ou des tomates à la provençale coupées en deux et avachies au fond de la poêle ? La loi de la variété, ce n'est pas seulement dans le choix des produits, c'est aussi dans la manière de les préparer. Purées, crèmes (entre purée et potage), coulis (du pur concentré !), tartares (d'avocat, de concombre, de tout ce qu'on veut), compotes, et même textures plus techniques telles que gelée, soufflé ou mousse (version brute ou bavaroise), sans oublier le croquant (fèves fraîches), le fondant, l'onctueux… bref, c'est simple : on a droit à tout, la seule limite est celle de l'imagination. Et un simple geste peut tout changer ! Ainsi, une bête soupe poireaux-carottes-pommes de terre avec « des morceaux dedans » est transfigurée par le passage du mixeur-plongeur 1 petite minute dans la casserole. Ni la même couleur, ni la même odeur, ni le même goût : c'est la même soupe, mais 100 % différente.

Purée !

Lionel Jospin reste-t-il avec sa femme grâce à ses talents culinaires ? Peut-être en partie, puisqu'il déclarait à la presse qu'elle « faisait les meilleures purées du monde ». Quoi qu'il en soit, la grande mode de la purée « maison » se transforme en tendance de fond : on mange de moins en moins de purées déshydratées et on se jette sur celles directement sorties du presse-purée de mamie. Retour à l'enfance ? Peut-être, mais pas sûr. Même parmi les générations élevées à la « Mousseline avec un trou au milieu pour faire un volcan », on plébiscite les bonnes vieilles purées des familles, pomme de terre en tête. Et près de 80 % des ménagères françaises en préparent régulièrement, dont 22 % au moins une fois par semaine !
C'est que la purée maison, c'est bon. En cassant les fibres du légume ou du fruit, on libère totalement ses saveurs. En plus c'est très économique (voir p. 34). Et les enfants adorent. Même les tout jeunes qui partent à l'aventure de nouveaux goûts (après des mois 100 % lait maternel ou maternisé) grâce aux légumes moulinés, mixés, écrasés.

En dehors de nos chères pommes de terre, **les meilleurs légumes pour purée** sont les aubergines, brocolis, carottes, choux-fleurs, épinards, haricots verts, petits pois, poireaux (la partie blanche), potiron (et autres courges).
Une purée peut très bien être crue, pourquoi pas ? Surtout s'il s'agit d'une purée de fruits. Dans ce cas, à vous le plein de vitamine C !

La Mousseline, c'est l'armée !

Incontestablement, la purée lyophilisée regroupe pas mal d'adeptes, malgré son goût fadasse et son profil nutritionnel fort éloigné d'une purée maison. Il faut dire qu'à l'origine, elle a été conçue pour nourrir les soldats américains durant la Seconde Guerre Mondiale ! Autant dire que les considérations hédonistes n'étaient pas prioritaires…

Les points à retenir

- **Respectez les saisons !** C'est le meilleur moyen de manger les bons végétaux au bon moment (leur composition est appropriée à la saison), au meilleur prix, au top de la saveur et à parfaite maturité, donc bourrés d'éléments bénéfiques.
- **Diversifiez vos fruits et légumes** car chacun apporte des éléments différents.
- **Cessez de tout éplucher.** C'est une manie ou quoi ? Sinon attendez le dernier moment (pas à l'avance pour la semaine) et si vous découpez, ne soyez pas trop minutieux. Plus les végétaux sont détaillés finement, plus les vitamines s'envolent.
- **La cuisson vapeur, l'essayer c'est l'adopter !** Mijotage (soupe) et wok sont aussi recommandables. Friture, four, gril, cocotte-minute et micro-ondes nettement moins…
- **Ne laissez pas tremper les fruits et légumes dans l'eau** (salade, fraises) : ils perdent une partie de leurs minéraux.

- **La moitié de vos « 5 » devrait être consommée crue** si possible (carottes râpées, salade verte, pomme et raisin à la croque).

Autour des légumes

- **Les oignons**, les fines herbes et l'ail doivent devenir des réflexes.
- **Consommez différentes parties végétales :** racines (navet, carotte), graines (haricots, soja), feuilles (salade, épinard), fruit (courgette, avocat) apportent des éléments nutritionnels complémentaires.
- **Plus le légume reste proche de son état naturel** et plus il cuit rapidement, plus il conserve ses vitamines, ses minéraux. À l'inverse, plus il est taillé, cuit, frit, sauté, réchauffé, plus il y « perd des plumes ». Pire, s'il est déshydraté (purée en flocons) ou associé à de mauvaises graisses (poêlées industrielles cuisinées aux graisses hydrogénées), il ne présente plus guère de bénéfice santé.

⚠ Les légumes secs, les préparations de type purée déshydratée en flocons, les frites ou les pâtes ne font pas partie du « club des 5 » !

LE TOP 10 DE VOS LÉGUMES PRÉFÉRÉS	
Tomate	Concombre
Haricot vert	Champignon
Courgette	Poivron
Carotte	Poireau
Pomme de terre	Avocat

Autour des fruits

- **Si vous digérez mal les fruits crus** (ballonnements, gaz…), deux options : faites-les cuire ou mangez-les à distance des repas. Soit une demi-heure avant soit au moins 2 heures après. Et méfiez-vous des agrumes (oranges, clémentines…).
- **Évitez de sucrer les fruits** (fraise, framboise, salade de fruits…). Ils s'en passent très bien, et vous aussi.

PRIVÉ DE DESSERT

Rien n'est meilleur qu'un fruit frais en fin de repas. Une étude souligne qu'en préférant un fruit à tout autre dessert, on prévient le cancer, les maladies cardiaques, et qu'on fait même reculer la mortalité ! Croquer avec gourmandise dans une belle pomme ou laisser fondre en bouche un cube de mangue, c'est bon de se faire du bien. Donc, privé de dessert, d'accord, mais pas privé de fruit.

- **Préférez les fruits mûrs** sinon gare aux inconforts digestifs (maux d'estomac, diarrhée).
- **Ne négligez pas les fruits exotiques**, souvent très concentrés en substances antioxydantes. Pour se protéger des rayons du soleil, ils passent leur temps à fabriquer des vitamines dont notre organisme est particulièrement friand.
- **Vous préparez un jus de fruits ?** Buvez-le sans attendre, sinon adieu vitamine C.
- **Attention :** ne prenez pas vos médicaments avec du jus de pamplemousse ni du jus de raisin, qui modifient considérablement l'activité de nombreuses molécules.
- **Évitez d'attaquer la journée par un jus de fruits**, l'estomac déteste ça. Surtout si cette première agression est suivie d'une autre, nommée café au lait.

Le top 10 de vos fruits préférés	
Mandarine	Raisin
Pomme	Kiwi
Pêche	Cerise
Fraise	Poire
Orange	Framboise

JUS D'ORANGE = ORANGE ?

Non. Forcément, lors de l'opération « extraction de fruit », il y a de la perte. Massacre des fibres (50 à 70 % restent dans la machine), des minéraux (jusqu'à 50 %, notamment le potassium et le calcium), des vitamines (surtout la C) et des polyphénols (jusqu'à 90 % !), bien que tout dépende du procédé de fabrication. L'avantage : permettre tout de même d'avaler des fruits si on est vraiment totalement incapable d'éplucher une clémentine ou de recracher un noyau de cerise. La digestion est aussi facilitée puisque les fibres sont rares. Conclusion : un jus de fruits, fût-il pressé, ne remplace pas un fruit mais vaut mille fois mieux qu'un soda ou une boisson alcoolisée. Préférez les « jus de fruits frais », simplement pressés et conservés par le froid. Ils ne contiennent aucun additif et ne sont pas pasteurisés. On descend de catégorie avec les « purs jus de fruits » qui ne renferment pas d'additifs non plus et ne sont ni dilués ni concentrés, mais qui ont été pasteurisés. Les « 100 % jus de fruits » les « jus de fruits » les « nectars » et les « boissons aux fruits », sont nettement moins excitants. Ne parlons pas des sirops, sans intérêt nutritionnel.

Quelques mots à propos de la qualité

5 fruits et légumes par jour, d'accord. Voilà pour la quantité. Et la qualité alors ? C'est simple : pas de concession. Elle doit être irréprochable. Qualité bactériologique (pas question de se rendre malade !), organoleptique (les saveurs et les odeurs), écologique (mon produit nécessite-t-il beaucoup de pesticides risquant d'aggraver la pollution des terrains, des eaux, des airs ?), sanitaire (limiter les résidus de pesticides), nutritionnelle (teneur en éléments protecteurs) et, aussi, humaniste (comment est produit mon fruit ou mon légume ? Le producteur a-t-il été payé correctement ?).
D'abord, tordons le cou à quelques idées reçues : globalement, la qualité s'est perfectionnée sur certains points, les fruits et légumes sont plutôt meilleurs qu'avant, notamment grâce à la découverte de nouvelles variétés ou à l'amélioration des anciennes. Ainsi, il est aujourd'hui plutôt rare de devoir subir des haricots verts filandreux et nos endives ne sont presque plus amères. D'un autre côté, nous restons mauvais élèves pour ce qui est de l'utilisation des pesticides. Nous réussissons ainsi chaque année l'exploit de produire de magnifiques abricots sans le moindre goût et de jolies pêches farineuses. Des bons points, donc, et des « peut mieux faire ».

Qualité sanitaire

La France est l'un des pays les plus gros consommateurs de pesticides. Autrement dit, nos superbes champs de céréales, de fruits et de légumes sont largement arrosés d'herbicides, de fongicides, d'insecticides et autres « cides » (= qui tuent). C'est un vrai problème. Cela ne remet cependant pas en cause l'intérêt des fruits et légumes. Toutefois, pour se débarrasser de la majorité de ces substances chimiques indésirables, il faut éplucher « généreusement » (et encore, cela ne suffit pas à retirer la totalité des pesticides, loin de là). Or, on l'a vu maintes fois, la peau présente des atouts nutritionnels indéniables. En outre, les végétaux excessivement « protégés » n'ont pas eu besoin de développer eux-mêmes des substances pour se prémunir contre les attaques climatiques, virales, bactériennes et autres ; ils en sont donc plutôt pauvres. De plus, les pesticides ne s'évaporent pas comme par enchantement, on les retrouve dans nos eaux (rivières, lacs...), mais c'est une autre histoire.

Contrôle de pesticides

Chaque année, les autorités publiques contrôlent 5 000 échantillons de fruits et légumes afin de déceler des traces de pesticides et, le cas échéant, d'évaluer leur dépassement.

Les résultats sont disponibles sur internet. Ex : http://www.finances.gouv.fr/DGCCRF/01_presentation/activites/labos/2000/pesticides.htm

Il paraît qu'il n'y a là rien de grave ni même de préoccupant, les autorités ne nous invitent même pas à éplucher ni à laver nos fruits et légumes avant consommation. Autant dire que tout le monde n'est pas d'accord avec ce bel optimisme, mais passons.

Les meilleurs fruits et légumes
Dans l'idéal (par ordre décroissant d'intérêt) :

- **On cultive son jardin potager** où l'on fait pousser des salades, radis et autres tomates sans les noyer de pesticides (on dit « produits phytosanitaires »), on les récolte mûrs à point.
- **On choisit des produits bio :** 90 % d'entre eux ne présentent aucun résidu de pesticides, alors que la plupart de ceux obtenus en agriculture conventionnelle, si. À condition que les dits végétaux aient été distribués très rapidement après la cueillette, sinon leur teneur en vitamine (notamment C) fond comme neige au soleil.
- **On achète de beaux fruits et légumes frais chez le maraîcher** ou le primeur. On se fait conseiller. On est sûr que les produits ont été respectés.
- **On fait les fins de marché** (un quart d'heure avant la fermeture) et on récupère de superbes produits à prix cassés. On en achète des cageots et on congèle soi-même (selon les recommandations de ce livre). Et on consomme dans la semaine ou la quinzaine pour refaire une fin de marché à l'épuisement des stocks.
- **On achète des fruits et légumes frais en grande surface**, avec le risque que tous aient été plus ou moins malmenés (mais ce n'est pas obligatoire), par exemple stockés dans des pièces trop froides : logique pour éviter que les produits se gâtent mais parfois catastrophique pour le goût.
- **On remplit son congélateur de légumes et fruits surgelés nature**, de préférence bio. Ils ont été soumis à un froid intense dès la récolte (un froid qui les sidère mais ne les abîme pas). Trois bons

points : leur teneur en vitamine est très bien respectée, ils sont nettoyés, préparés, épluchés et, enfin, ils ne subissent pas les tarifs prohibitifs liés aux aléas de la saison. Autrement dit, lorsque ça « gèle », vos légumes surgelés restent à un prix plancher alors que le tarif des « frais » flambe. Et on trouve au cœur de l'hiver des fruits d'été bien appétissants, bourrés de vitamines puisque cueillis à pleine maturité, pendant la belle saison. C'est un bon moyen de se mettre au « 5 par jour » si vous n'avez ni l'envie ni le temps de vous attaquer au « frais ». Et si vous vous débrouillez bien, vous bénéficiez de super-promos tous les mois dans certains magasins. Pas chers du tout, les fruits et légumes, quand on est malin !

- **On achète des boîtes.** Bof !

Les labels des fruits et légumes

Les labels, vous connaissez. Mais savoir exactement ce qu'ils signifient et s'ils indiquent réellement un « meilleur » produit, alors là, c'est une autre affaire. 150 000 tonnes de végétaux « labellisés » sont achetées chaque année, ce qui correspond à peine à 2 % de la production globale. C'est encore peu, mais le marché progresse, voire explose, surtout pour la bio (+ 30 %/an).

Dans le domaine des fruits et légumes, voici les trois principaux.

- **Le logo AB – Agriculture biologique**

C'est quoi ? Il signifie que le produit a été cultivé sans aucun pesticide. Le producteur a passé plus de temps sur sa culture et sa récolte (désherbage méca-

nique ou manuel, non chimique, respect des sols, utilisation de moyens biologiques pour protéger ses récoltes comme, par exemple, les coccinelles dont la mission est de dévorer les pucerons !). Les contrôles sont fréquents, le cahier des charges drastique et les agriculteurs bio sont, dans l'immense majorité des cas, très investis dans leur travail. Ils ont coutume de dire qu'ils cultivent la terre et non qu'ils l'exploitent. Toute la nuance est là.

C'est intéressant ? Oui, surtout si l'on cherche des fruits et légumes à forte densité nutritionnelle (vitamines, minéraux, flavonoïdes) et que l'on souhaite préserver la planète. Le surcoût (encore bien réel) s'explique facilement par une main-d'œuvre plus abondante et un travail bien plus important (c'est plus fatigant et plus long de tout faire à la main que de passer en hélico sur sa parcelle pour y balancer des tonnes de produits chimiques).

Quels sont les fruits et légumes bio ? Tous peuvent l'être, ou presque ! Les « best of » sont le chou, la salade et les courges, ainsi que les pommes et les fruits secs. Certains fruits et légumes exotiques, poussant donc par définition dans des contrées lointaines, ne sont pas encore disponibles en bio. Mais face à la demande croissante du public, les filières s'organisent.

- **Le label Rouge**

C'est quoi ? Le plus ancien des labels ! Il indique que le produit est de meilleure qualité que son équiva-

lent de base et qu'il est aussi meilleur au goût (ce n'est pas forcément le cas des deux autres : bio et AOC). On obtient ce précieux fruit ou légume en soignant particulièrement son mode de production et en respectant un cahier des charges contraignant.
C'est intéressant ? Oui. À tous les coups, votre produit est délicieux, mûr à point.

Les herbes de Provence viennent-elles de Provence ?

Pas forcément hélas ! Si vos herbes de Provence sont « Label Rouge », oui. Si elles sont « lambda », il y a toutes les chances pour qu'il s'agisse d'un mélange plus ou moins fantaisiste d'aromates importés des pays de l'Est. La différence est flagrante : dans le premier cas, les plantes regorgent d'huiles essentielles (donc de parfum et de saveurs), les tronçons d'herbes restent de vrais morceaux (et pas de la poudre). Dans le second, c'est un peu au petit bonheur la chance, puisque n'importe qui peut glisser trois herbes dans un sachet en plastique et proclamer que ce sont des « herbes de Provence ». On comprend là tout l'intérêt des labels, nécessaires à la conservation du patrimoine aromatique de notre inimitable Provence. Quant à la recette ancestrale, elle serait constituée de 26 % de sarriette, 26 % d'origan, 26 % de romarin, 19 % de thym et 2 % de basilic. Précision, précision ! Mais on a bien le droit, si on aime, de faire son propre mélange avec des herbes bien de là-bas, comme du laurier sauce, de l'estragon, du romarin, de la sauge ou du thym, peuchère !

Quels sont les fruits et légumes Label Rouge ? N'est pas Label Rouge qui veut. Pour obtenir le Sésame, il faut passer par bien des épreuves. Aujourd'hui, on trouve en version Label Rouge l'ail rose de Lautrec, les carottes de Créances et celles des sables, les haricots tarbais, les herbes de Provence, les kiwis des pays de l'Adour, les lentilles vertes du Berry, les lingots du Nord, les melons Sol Dive, des pommes et poires des Alpes de Haute-Provence, les poireaux de Créances, la pomme de terre Bintje de Merville, la reine-claude verte ou dorée, la mirabelle de Lorraine, les pommes et poires de Savoie, les pêches et nectarines de la Drôme.

- **L'AOC**

C'est quoi ? Le logo AOC récompense un produit « régional », cultivé de façon ancestrale sur ses terres. C'est LE produit terroir, spécifique, unique. Mais attention, cela ne garantit pas qu'il soit meilleur d'un point de vue gustatif. D'où de graves déconvenues, parfois, mais heureusement rarement dans le domaine des végétaux (c'est plus fréquent pour les vins ou les fromages).

C'est intéressant ? Oui, surtout si l'on est attaché à l'origine des produits, au patrimoine culturel.

Quels sont les fruits et légumes AOC ? Chasselas de Moissac, coco de Paimpol, lentille verte du Puy, muscat du Ventoux, noix de Grenoble, noix du Périgord, oignon doux des Cévennes, olives de la vallée des Baux de Provence, olives noires de Nyons, olive de Nice, piment d'Espelette, pomme de terre de l'Île de Ré.

Les fruits et légumes de nos grand-mères

On les appelle aussi les légumes « oubliés » ou « anciens ». Ils ont quasiment disparu de nos assiettes pour de multiples raisons – passés de mode, cuisson longue, relents de souvenirs de guerre, mais surtout faible rendement et peu intéressants d'un point de vue économique. Songez que près de 80 % des espèces comestibles d'il y a 100 ans ont purement et simplement disparu !
Cependant, le passé fait un retour en force, et les « fêtes des légumes oubliés » fleurissent un peu partout dans l'Hexagone, celle de Saint-Jean de Beauregard (Essonne, 91) ayant fêté ses 22 automnes en novembre 2007. Même les hypermarchés ouvrent leurs portes à ces majestueux légumes et proposent pendant quelques poignées de jours chaque année des topinambours, pâtissons et autres panais avec des idées recettes pour ne pas laisser le client démuni, une fois sa grosse courge posée bien à plat sur la table de la cuisine.
D'apparence parfois un peu rustique, ils enchantent les sens par leurs couleurs chatoyantes et leurs saveurs très raffinées.

Un voyage dans le temps

Ils méritent qu'on s'y attarde, au moins le temps d'une soupe, d'une salade ou d'une confiserie. La plupart sont disponibles en automne. Nous vous présentons les principaux et vous proposons des idées recettes très simples pour étonner vos papilles. Bon voyage dans le temps !

Coing

Ce fruit fête ses 4 000 ans ! Certes, il ne prétend pas être un apollon avec son air de grosse poire un peu cabossée. Mais on se battait il y a encore dix ans pour de la gelée ou de la pâte de coing, et d'un coup, il a vraiment disparu de la circulation ! Peut-être parce qu'il n'est pas comestible cru. En tout cas, sa saveur sucrée accompagne parfaitement les viandes qui se marient bien avec les pruneaux, les pommes, les poires ou les pêches. Par exemple le porc, le canard ou l'agneau (tajine).
Flanqué de cannelle, le coing Champion n'en sera que plus délicat. Cap sur la variété du Portugal pour les confitures, gelées et pâtes au goût à la fois très doux et « tanique ». De ce côté-là, ce fruit n'a de leçon à prendre d'aucun autre. Il faut dire que le mot « marmelade » vient de « marmelo » = « coing » en portugais !
Quant à la pâte de coing, elle se marie merveilleusement avec le fromage (génial sur des petits pics apéritifs : alternez une tranche de pâte de coing et une de fromage de brebis).
Apports principaux : fibres, tanins, pectines antidiarrhéiques et anticholestérol, bons pour les diabétiques.
Calories : 28/100 g.
Conservation : plusieurs semaines dans un endroit frais et aéré (pas au réfrigérateur).

RECETTE DE GRAND-MÈRE

La pâte de coing de mamie Élodie

Il vous faut : 1 kg de coings, 750 g de sucre, 1 gousse de vanille (ou quelques zestes d'agrumes)

Faites bouillir 1 litre d'eau. Pendant ce temps, nettoyez les fruits sous l'eau et retirez le duvet (il part tout seul, il suffit de frotter). Coupez-les au milieu pour ôter pépins* et cœur (comme pour une poire), puis découpez en morceaux. Plus il est petit, plus le coing cuira vite. Jetez tout ça dans l'eau bouillante et laissez bouillonner pendant une bonne vingtaine de minutes (le fruit doit être tendre). Égouttez et mixez les fruits cuits, reversez ensuite dans la casserole. Ajoutez le sucre et la vanille, laissez mijoter à feu très doux, en remuant très régulièrement. Le sucre va fondre tranquillement et s'incorporer aux fruits. La pâte est prête lorsqu'elle ne colle plus aux parois de la casserole (compter un quart d'heure à une demi-heure, parfois un peu plus). Dans un plat à gratin (un petit peu creux mais pas trop), posez une feuille de papier sulfurisé et versez votre pâte de façon à ce qu'elle la recouvre bien uniformément. L'épaisseur doit être de 1,5 à 2 cm (maxi). Laissez sécher plusieurs jours, retournez la pâte et laissez à nouveau sécher. Lorsque le résultat ressemble à de la pâte de fruits, découpez en formes souhaitées et rangez dans une boîte (celles en métal, habituellement dévolues aux biscuits, conviennent parfaitement. Surtout pas de boîte hermétique, il faut « aérer » sinon gare à la moisissure !). On peut très bien congeler la pâte de coing.

** Dans l'idéal, on met les pépins dans une gaze (ou un petit mouchoir) que l'on plonge dans l'eau de cuisson car les pectines qui s'en échappent permettent à la pâte de « prendre ».*

Crosne

Il remporte sans aucun doute la palme du légume le plus curieux ! Petit tubercule tortueux présentant comme un groupe d'anneaux très fermes, il offre sa subtile saveur évoquant l'artichaut et la châtaigne à qui a la patience de bien le brosser sous l'eau. Car il est quasi impossible à éplucher ! Nos grands-mères le frottaient au gros sel dans un torchon. Heureusement, on le trouve désormais pré-nettoyé et il suffit souvent de le rincer.

Recette de grand-mère

Crosnes comme des pommes de terre d'Élise

Il vous faut : des crosnes, du beurre, de la ciboulette hachée (facultatif).

« Ton frère qui n'aime que les pommes de terre, il mange aussi des crosnes, alors tu vois… C'est tout simple à préparer : une fois rincés et séchés, tu les cuis exactement comme des petites pommes de terre : 10 minutes à l'autocuiseur ou 15 minutes dans de l'eau bouillante salée (de préférence avec un filet de vinaigre). En assaisonnement, tu ajoutes une noix de beurre ou, pourquoi pas, toi qui manges méditerranéen, tu les fais revenir quelques minutes à la poêle avec de l'huile d'olive. Sel, poivre et ciboulette hachée dessus si tu veux. Alors ? »

Apports principaux : sucres « lents » (pas très digestes). Intestins fragiles ? Mieux vaut le cuire dans deux eaux (comme le chou). Une première cuisson de 10 minutes dans une eau, on la jette, et on poursuit la cuisson dans une « nouvelle » eau.
Calories : 80/100 g.
Conservation : 3 jours grand maximum au réfrigérateur dans une boîte alimentaire tapissée de papier absorbant. Mieux vaut le consommer ultra frais, le jour de l'achat.

Rutabaga

La mauvaise réputation du rutabaga vient du fait qu'il était l'un des seuls légumes disponibles pendant les longues périodes de disette. Le pauvre, il n'y est pour rien s'il est si robuste ! Issu d'une hybridation entre chou et navet, il est plus charnu et plus fort en goût que ce dernier.
On épluche, on découpe, on retire le cœur. À ce stade, on sait déjà si le goût sera très prononcé (ce sera le cas si l'odeur est forte) ou non. Si on préfère un rutabaga plutôt « neutre », on commence par faire bouillir les morceaux pendant quelques minutes dans l'eau (on les blanchit) puis on procède à la cuisson normale, soit 10 à 15 minutes dans l'eau ou à la vapeur. Il entre parfaitement dans la composition des plats type « pot-au-feu ».
Apports principaux : Potassium, magnésium, vitamine B9.
Calories : 34/100 g.
Conservation : 3 semaines au réfrigérateur, selon les modalités indiquées à « crosne » p. 55.

RECETTE DE GRAND-MÈRE

Purée de rutabaga d'Amédée

Il vous faut : des rutabagas, de l'huile d'olive, du sel et du poivre (une racine de gingembre si vous aimez*).

Amédée, la grand-mère de mon amie Patricia, faisait rôtir les rutabagas longuement et doucement au four, et les transformait en vrais bonbons caramélisés accompagnant à merveille n'importe quelle viande rôtie. C'était une magicienne, Amédée ! Mais Patricia réclamait souvent de la purée de rutabaga et sa mamie lui en préparait en deux temps trois mouvements. Elle épluchait le légume, le coupait en cubes qu'elle faisait bouillir pendant 30 minutes, elle le passait au presse-purée, ajoutait de l'huile d'olive, du sel, du poivre, et surtout rien d'autre. Et Patricia plongeait ses rutabagas rôtis dans la purée. Paf !

* *Les palais avertis apprécient du gingembre râpé sur la purée de rutabaga. Mais pas tous !*

Petit conseil de grand-mère : un rutabaga pas trop imposant sera meilleur, moins fibreux.

Et un deuxième : attendez les premières descentes de température car le froid augmente leur teneur en sucre, donc les rend très doux.

Salsifis

Il paraît qu'une jeune fille qui aime les salsifis aura un mari amoureux. Cet adage viennois demande à être prouvé, mais c'est dire si le dit salsifis est tenu en haute estime. Comme les scorsoneres (noir), les salsifis (blancs) sont des racines qui ont largement nourri nos ancêtres. Maintenant ce n'est plus guère le cas, et c'est bien dommage d'un point de vue nutritionnel. Le drôle de nom « salsifis » vient de l'italien « sersifi », « sessefrica » = « qui frotte les pierres ». C'est vrai que le salsifis pousse exclusivement sur des pierres. D'où sa rigidité, peut-être !

Apports principaux : fibres, belle palette de minéraux (calcium, magnésium) et de vitamines (B1, B6, E). Forte teneur en sucres spécifiques (inuline), non assimilés par le corps donc non caloriques.
Calories : 30/100 g.
Conservation : plusieurs semaines dans un lieu sombre, frais et aéré, à défaut d'un cellier le bac à légumes du réfrigérateur convient. Lavez-les juste avant leur utilisation.

Petit conseil de grand-mère : ils doivent impérativement être bien fermes et pas trop gros, sinon ils ne seront pas bons.
Et un deuxième : le salsifis n'aime pas la concurrence : il ne faut pas le servir avec des saveurs fortes, elles le rendent fade.

Topinambour

Voici encore un légume tubercule, physiquement comparable (de loin) à du gingembre. On l'utilise grosso modo comme une pomme de terre, bien que sa saveur et sa texture rappellent davantage le cœur d'artichaut. D'ailleurs, les Anglais l'appellent l'artichaut de Jérusalem, ce qui lui confère immédiatement une tout autre classe. Cru, il agrémente les salades, mais pensez à l'arroser d'un filet de citron, sinon il noircit très vite. C'est cependant cuit qu'il donne le meilleur de lui-même.

RECETTE DE GRAND-MÈRE

Gratin de salsifis

Il vous faut : des salsifis, de la farine, de la crème,de la noix de muscade.

Un bon plan pour les redécouvrir : rincez les salsifis soigneusement sous l'eau, égouttez et coupez en morceaux d'environ 5 cm de long. Puis versez 3 cuillères de farine dans de l'eau froide et faites bouillir Dès l'apparition des gros bouillons, jetez les tronçons de salsifis et laissez cuire quelques minutes. Puis, direction le plat à gratin avec de la noix de muscade et du liant, comme de la crème par exemple (on ne dira rien, pour une fois). Et allez, soyons fou, du gruyère parsemé sur le dessus !

Apports principaux : Fibres (intestins fragiles, attention !), vitamines B (surtout B1 et B3), potassium.

Calories : 76/100 g.

Conservation : jusqu'à 3 semaines au frais, mais plus vite on les consomme, meilleurs ils sont. En tout cas, dès les premiers signes de germination, il est déjà bien tard. Hop, à la casserole !

RECETTE DE GRAND-MÈRE

Les topinambours de Marie

« Tu les fais comme tu veux ! Tu épluches, tu coupes, tu plonges les morceaux dans de l'eau (avec un filet de citron, c'est mieux) et tu les prépares ensuite en gratin, purée ou tu les poêles (avec de l'huile d'olive, de l'échalote et des fines herbes dans les dernières secondes), ou encore tu en fais un sublime potage tout doux, tout doux… C'est prêt ! »

Petit conseil de grand-mère : optez pour les topinambours les plus lisses, en tout cas ni plissés ni terreux. L'épluchage sera plus facile. Et pour une fois, préférez les gros spécimens aux petits.

5 fruits et légumes, ça veut dire quoi ?

Pas si bête, cette question ! Parce que, évidemment, une framboise n'est pas « égale » à un poireau. On a donc inventé la notion de « portion ». 5 fruits et légumes, ça veut dire en fait « 5 portions de fruits et légumes ». En poids, cela nous donne environ 600 grammes. La moitié doit être apportée par des crudités, seules pourvoyeuses de vitamine C.

Et une portion, c'est quoi par exemple ?

- un petit saladier de salade (= une grosse tasse)
- une tomate moyenne, ou 5 tomates cerise
- une courgette ou une carotte
- 125 ml (= 1 petit verre) de jus
- trois cuillères à soupe bien bombées de légumes, crus ou cuits
- un fruit moyen (pomme, banane, poire, orange) ou deux petits (clémentines, prunes)
- 100 g (= une petite barquette) de fruits rouges ou de raisin
- une belle tranche d'ananas ou de melon d'eau

10 idées « vertes »	
Remplacez…	**par…**
Petit déjeuner	
Les céréales grasses et sucrées	Un bol de céréales complètes + des fruits frais découpés au dernier moment dedans
Fromage blanc + sucre	Fromage blanc + compote (sans sucre ajouté)
Rien (pour ceux qui ne mangent rien le matin)	Une banane en rondelles avec un peu de miel
Déjeuner	
L'entrée « pâté » ou « œuf mayo »	Une salade de tomates ou de champignons
Une partie des pâtes ou du riz	Des courgettes, épinards ou haricots verts
« Le dessert »	2 clémentines ou une banane cuite (nature)
Goûter	
Les viennoiseries, biscuits ou barres chocolatées	1 fruit différent chaque jour, facile à manger. Ex : lundi : pomme ; mardi : raisin ; mercredi : banane ; jeudi : 2 abricots ; vendredi : 2 clémentines ; samedi : ananas.
Dîner	
Les biscuits-apéritif	Tomates cerise et bâtons de carotte à tremper dans une purée de pois chiches
Le pain qui va avec le fromage	Une salade verte agrémentée de grains de raisin ou de petits cubes de pomme
Un verre de soda ou d'alcool	Un verre de jus de légumes ou de fruits

10 menus « 5 »

Avec nos idées de menus toutes simples on dépasse facilement le « Club des 5 » pour atteindre « le Clan des 7 » ! Et encore, on ne calcule pas les fines herbes, le filet de jus de citron ici ou là, les fruits secs, les noix, l'ail ni l'oignon que vous ne manquerez pas de jeter dans la poêle ou de répartir sur la salade. Tous ces végétaux « comptent » aussi, mais leur quantité est trop aléatoire pour qu'on les comptabilise parmi les portions.
Voici 10 jours de menus classiques pour répartir votre quota de fruits et légumes sur la journée.

Jour 1

Petit déjeuner

- Thé, café ou infusion (sans sucre)
- 2 grandes tranches de pain complet grillé, beurre, gelée de fruits rouges
- 1 petite **pomme**

Déjeuner

- Salade de **tomates**
- Cabillaud au curry
- Riz complet et **courgettes** vapeur
- 1 yaourt nature + sirop d'érable
- Thé, café ou infusion (sans sucre)

Dîner

- **Radis** à la « croque au sel »
- 1 tranche de pain complet
- Gratin de **chou-fleur** au jambon
- 1 **poire**
- 1 infusion

Jour 2

Petit déjeuner

- Thé, café ou infusion (sans sucre)
- 2 grandes tranches de pain complet grillé + beurre
- 1/2 **pamplemousse**

Déjeuner

- Carpaccio de bœuf
- Risotto aux **légumes**
- 1 tranche de pain complet
- 1 yaourt nature
- 2 **kiwis**

Dîner

- **Salade verte** + œuf dur émietté
- **Haricots verts + tomates**, basilic, fromage de chèvre fondu
- 1 **kaki**

Jour 3

Petit déjeuner

- Thé
- 1 yaourt au bifidus + cubes de **mangue**
- 1 tranche de pain aux céréales + beurre + miel.

Déjeuner

- Salade **coleslaw** (chou blanc)
- Omelette **petits pois-carottes**
- 1 **poire**

Dîner

- **Carottes râpées**
- Escalope de veau et lentilles
- Yaourt au bifidus au sirop d'érable

Jour 4

Petit déjeuner

- Thé
- Muesli au lait de soja
- Grappe de **raisin noir**

Déjeuner

- **Salade** pourpier (ou mâche) aux pignons
- Lapin et **pommes de terre** au curcuma
- Cubes de **pastèque**

Dîner

- Carpaccio de saumon aux herbes
- **Mâche** aux noix (huile de noix)
- **Figues**

Jour 5

Petit déjeuner

- Thé vert
- 3 tranche de pain aux céréales + beurre + miel
- 2 **mandarines**

Déjeuner

- Assiette de **crudités**, **oignon** et fines herbes
- Saumon + **haricots verts**
- Dessert soja vanille

Dîner

- Soupe de **légumes** de saison
- Grande assiette végétarienne (**légumes verts cuits** + légumineuses + céréales)
- **Poire** au chocolat noir

Jour 6

Petit déjeuner

- Thé vert au jasmin
- 1 tranche de jambon + 1 part de fromage
- 2 galettes de riz soufflé
- 2 **kiwis**

Déjeuner

- Noix de pétoncle + riz complet + **petits légumes**
- 1 part de camembert
- 1 boule de glace noisette + 1 boule de sorbet framboise

Dîner

- **Soupe minestrone**
- Calmars à l'armoricaine (**tomates**…)
- **Quetsches**

Jour 7

Petit déjeuner

- Thé
- Flocons avoine au lait de soja ou d'amande + cannelle + fructose
- ½ **pamplemousse**

Déjeuner

- **Radis roses** à la croque au poivre
- Carpaccio de saumon + salade de **fenouil**
- **Pomme cuite**

Dîner

- Soupe à l'**oignon**
- Thon Zanzibar (boîte de thon à l'huile avec pruneaux) + **pommes de terre tièdes**
- 1 part de gouda au cumin
- 2 boules de sorbet fraise + sablé à l'épeautre et au quinoa

Jour 8

Petit déjeuner

- **Citron chaud** (citron pressé + eau frémissante + miel)
- Pain aux céréales + beurre + **compote** (à la place de la confiture)

Déjeuner

- **Soupe de poireaux**
- **Radis noir** à croquer
- Blanc de poulet + riz basmati
- Semoule au lait + fleur d'oranger

Dîner

- **Salade de cresson + échalotes**
- Assiette de fruits de mer
- **Litchies**
- Infusion de romarin (non sucrée)

Jour 9

Petit déjeuner

- Thé earl grey
- Riz soufflé + lait
- 1 **banane**

Déjeuner

- Omelette aux **champignons**
- **Salade verte + oignons**
- **Mirabelles**

Dîner

- Raie aux câpres
- **Gratin de bettes** avec Béchamel
- 2 petits suisse + sirop d'érable

Jour 10

Petit déjeuner

- Thé léger
- Pain aux 6 céréales + purée d'amandes
- **Mangue**

Déjeuner

- Pizza aux **champignons**
- **Endive** aux noix
- 1 crottin + pain aux céréales
- Salade d'**orange** à la cannelle

Dîner

- Moules marinières
- **Salade verte**
- **2 fruits de la passion**

C'est la saison !

Les fruits et légumes de saison, ça veut dire quelque chose. Ils sont toujours meilleurs, plus riches en vitamines et minéraux, moins chers. Bref : ils cumulent les qualités. Évidemment, il y a saison et saison, et vous rétorquerez qu'il y a toujours un été ou un printemps quelque part sur la planète. C'est vrai. Il serait ridicule de refuser de bons fruits exotiques gorgés de soleil sous prétexte que, chez nous, il pleut, il fait gris et moche. En revanche, des végétaux poussant sous nos contrées, généralement hors sol (et non en pleine terre), gavés au liquide nutritif et exposés à la lumière artificielle ne peuvent pas recueillir nos faveurs. Certes, il arrive qu'on obtienne des fraises d'une saveur tout à fait étonnante en plein hiver. Mais le cœur n'y est pas, le parfum non plus. Et puis, ces petites choses rouges qui poussent sous de gigantesques hangars incroyablement high tech, on les achète à quel prix ? Et pour quelles conséquences écologiques ? Et surtout, pour quoi faire ? Manger local et de saison, ça tombe sous le sens !

Au risque de paraître un peu réactionnaire, nous militons pour les 4 saisons, véritable symphonie laissant libre expression à de magnifiques partitions végétales. Certes, nous accueillons ponctuellement les fruits et légumes de Martinique, d'Israël ou du Japon, doux baumes au cœur pendant la mauvaise saison... Ils remplissent nos stocks de vitamines et d'antioxydants pour lutter contre microbes et frimas.

Food miles : l'empreinte écologique de l'ananas-avion

Hélas, leur empreinte écologique (empreinte carbone/food miles) n'est pas exemplaire. 1 ananas « avion » libère 5 kg de CO_2 dans l'atmosphère, contre seulement 50 g pour un ananas bateau. 1 kg de haricots du Kenya consomme 48 fois plus d'energie fossile que les haricots verts ayant grandi sur notre sol. Pour calculer les « food miles » de votre dernier repas : www.organiclinker.com.

Une tomate rouge de colère

Et puis, il n'y a pas qu'une affaire de culture ou de transport. Prenons la tomate, par exemple. Fille de la chaleur de l'été, elle a horreur du froid. En hiver, on la cultive sous serre en la bichonnant, c'est-à-dire en la mettant à l'abri, en lui offrant un substrat hydroponique (un mélange savant de tourbe, laine de verre, fibre cellulosique ou de coco remplace la terre) et surtout on s'attache à lui donner exactement le même goût toute l'année, comme ça, fini les terroirs, les caprices climatiques, on maîtrise ! Soit. Sauf que, léger problème : la tomate sagement alignée en rang d'oignons sur les étals du primeur ou du supermarché grelotte souvent en attendant le client. Et la voilà irrémédiablement abîmée. Même chose en été, d'ailleurs, où elle subit d'énormes différences de température entre les camions réfrigérés et le « plein soleil » en alternance. C'en est trop pour notre fragile diva qui jette l'éponge. Pendant ce temps, les gourmets attendent patiemment la bonne saison pour acheter la bonne tomate : celle de la « bonne » variété (vous connaissez la Cœur de bœuf ?) qui aura poussé en pleine terre, au soleil, aura été cueillie à pleine maturité pour un plaisir sans limite. C'est la revanche de la tomate.

Ce mois-ci au marché

Janvier

- **Légumes** : brocoli, céleri, chou, endive, lentille, mâche.
- **Fruits** : ananas, banane, mandarine, orange, pamplemousse.

Février

- **Légumes :** betterave, brocoli, céleri, endive, poireau, salsifis.
- **Fruits :** ananas, banane, orange.

Mars

- **Légumes :** artichaut, carotte, navet, poireau, salsifis.
- **Fruits :** ananas, orange.

Avril

- **Légumes :** artichaut, asperge, carotte, oseille, laitue.
- **Fruits :** rhubarbe.

Mai

- **Légumes :** asperge, betterave, carotte, cresson, épinard, laitue, oseille, pois, pomme de terre.
- **Fruits :** fraise, rhubarbe.

Juin

- **Légumes :** artichaut, asperge, betterave, concombre, courgette, fève, laitue, petits pois, pomme de terre, radis.
- **Fruits :** fraise, cerise, rhubarbe.

Juillet

- **Légumes :** artichaut, aubergine, betterave, carotte, céleri-branche, concombre, haricot vert, pois, pomme de terre, romaine.
- **Fruits :** abricot, cerise, figue, fraise, framboise, groseille, melon, pastèque, pêche.

Août

- **Légumes :** artichaut, aubergine, betterave, céleri, chou, concombre, haricot vert, maïs, navet, oignon, pomme de terre, tomate.
- **Fruits :** abricot, brugnon, cassis, figue, fraise, framboise, melon, pêche, prune.

Septembre

- **Légumes :** betterave, céleri, champignon, chou, haricot blanc, navet, oignon, poireau, tomate.
- **Fruits :** cassis, citron, noisette, noix, pêche, poire, pomme, prune, raisin.

Octobre

- **Légumes :** céleri, champignon, chou, haricot blanc, navet, oignon, poireau, tomate, topinambour.
- **Fruits :** banane, coing, noix, poire, pomme, raisin.

Novembre

- **Légumes :** brocoli, céleri, champignon, chou, endive, mâche, oignon, poireau, pomme de terre, potiron.
- **Fruits :** banane, châtaigne, coing, pamplemousse, poire.

Décembre

- **Légumes :** brocoli, cardon, céleri, chou, endive, mâche, pomme de terre.
- **Fruits :** ananas, banane, coing, mandarine, orange, pamplemousse.

Les bons mariages font les bons amis

Plutôt que de noyer les légumes sous le sel et le beurre, pourquoi ne pas les rapprocher de leurs meilleurs amis : herbes, épices ou autres végétaux ?

Légumes	Herbes and Co
Artichaut	Persil, citron, poivre, menthe, ciboulette, tomate, sauce soja (fond)
Asperge	Estragon, fenouil, citron, vinaigrette, échalote, noix de muscade, aneth
Aubergine	Pistou, oignon, persil, tomate, menthe, ail
Avocat	Piment de cayenne, jus de citron, oignon, tomate, curry
Betterave	Gingembre, orange, citron, poivre, paprika, persil, estragon, oignon, cumin, carotte
Bette à carde	Basilic, sarriette, origan, fenouil, estragon, muscade, romarin, citron
Brocoli	Fenouil, estragon, citron, vinaigrette
Carotte	Gingembre, muscade, graines de carvi, cannelle, fenouil, citron, menthe, orange

➲

Légumes	Herbes and Co
Champignon	Laurier, clou de girofle, poivre, cumin, curry, ail, persil, échalote
Chou de Bruxelles	Muscade
Chou-fleur	Muscade, paprika, poivre
Chou (cru)	Graines de carvi, estragon, sarriette, fenouil
Concombre	Aneth
Courgette	Basilic, origan, ail, thym, tomates, poivre, oignon, tomate
Épinard	Basilic, sarriette, origan, fenouil, estragon, muscade, romarin, citron
Fenouil	Aneth
Haricot vert	Basilic, fenouil, thym, menthe, origan, sarriette, estragon
Navet	Muscade
Petit pois	Menthe, cerfeuil, marjolaine, romarin, ail, estragon
Poireau	Ciboulette, citron, oignon, curry, curcuma
Poivron	Thym, ail, persil
Pomme de terre	Aneth, muscade, laurier, paprika, curcuma, curry
Potiron	Muscade, cannelle
Ratatouille	Herbes de Provence
Salade	Estragon
Soja	Citron, estragon, ail, sauce soja (si cru), piment (si cuit)
Tomate	Basilic, estragon, aneth, oignon, courgette, poivre

LES FRUITS ET LÉGUMES CONTRE LES MAUX AU QUOTIDIEN

Un problème ? Optez pour la solution « fruits et légumes ». Insistez sur les végétaux proposés au cas par cas, ci-dessous. Bien entendu, aucun ne remplace un traitement médical en cas de besoin !

- **Allaitement (favoriser) :** carotte crue, fenouil, topinambour
- **Allaitement (stopper, diminuer) :** chou vert, persil, oseille, sauge
- **Angine, bronchite :** ail, échalote, oignon, choux
- **Arthrite :** ananas, pomme, asperge, cassis, céleri, persil, gingembre
- **Ballonnements :** fenouil, herbes, gingembre
- **Brûle-graisses** : aubergine, céleri, poivron, pomme, son d'avoine, thé vert
- **Calculs biliaires** : artichaut, endive, pissenlit
- **Calculs rénaux** : orange, jus d'orange
- **Cancer (prévention)** : tous les fruits et légumes frais surtout ail, oignon, ciboulette + les fruits et légumes très colorés (oranges ou verts), choux, brocoli, tomate, carotte
- **Cerveau (protection)** : tous les fruits et légu-

mes frais surtout très colorés, notamment brocoli, persil, agrumes, pomme, mangue, poire, pêche, raisin et fruits très colorés
- **Cheveux** : choux
- **Cicatrisation** : tous fruits et légumes, surtout riches en vitamine C (choux, agrumes, kiwi) et/ou très colorés
- **Cholestérol** : ail, amande, avocat, avoine, carotte, champignon shiitaké, pamplemousse, pomme
- **Cœur (protection)** : ail, gingembre, tous fruits et légumes, surtout riches en vitamine C (choux, agrumes, kiwi), en potassium (abricot, banane, légumes et fruits secs, lentille, tomate, pomme de terre, fenouil, persil), et/ou très colorés, herbes aromatiques, oignon, piment, pomme
- **Colite, côlon irritable** : choucroute, menthe
- **Constipation** : tous légumes, dont carotte et épinard, tous fruits dont petits fruits rouges et noirs (groseille, mûre, cassis…), rhubarbe, tous fruits secs, surtout figue et pruneau
- **Crampes** : tous fruits et légumes dont poivron, banane, agrumes, baies (cassis, myrtille), ail, gingembre, piment
- **Cystite** : cranberry (et jus de), groseille (et jus de), jus de pamplemousse, de citron, d'orange
- **Démangeaisons** : fruits et légumes (tous), surtout raisin et agrumes
- **Déprime** : aubergine, agrumes, avocat, cassis, champignons, gingembre, kiwi, légumes verts à feuilles foncées, petit pois
- **Détox** : carotte, céleri, citron, courgette, écha-

lote, épinards fenouil, herbes, navet, oignon, poireau, poivron, salade

- **Diabète :** ail, artichaut, banane peu mûre, cannelle, chou, citron, figue, oignon, poivron rouge, pomme
- **Diarrhées :** banane, carotte, cassis, myrtille, pomme (compote sans sucre ajouté), pomme de terre
- **Douleurs** (voir aussi « inflammation ») : ail, clou de girofle, gingembre, menthe, oignon, piment, réglisse
- **Estomac (douleur)** : banane, banane plantain, choux (tous) surtout crus, figue, gingembre, navet, pomme
- **Fatigue** : agrumes, baies, choux (tous), crudités (toutes), fraise, kiwi
- **Fertilité** : tous les fruits et légumes « détox » (nature) : radis noir, poireau, cresson, poivron, fenouil, brocoli, kiwi, melon, fraise, framboise..., légumes vert foncé (salade bien verte, épinard, oseille), jus de fruits maison (surtout orange)
- **Flore intestinale perturbée** : prébiotiques (« super fibres ») : ail, artichaut, asperge, banane, chicorée, ciboulette, échalote, froment, oignon, orge, poireau, pissenlit, salsifis, seigle, soja, tomate, topinambour, fenouil, gingembre
- **Fluidifier le sang** : ail, oignon, gingembre, piment, fruits colorés, agrumes, mâche, champignon noir (asiatique)
- **Frilosité** : ail, herbes aromatiques (persil, basilic, coriandre) + crudités à chaque repas, au

moins 3 fruits par jour parmi ceux renfermant le + de flavonoïdes (petits fruits foncés, baies, cassis, myrtille, mais aussi kiwi, agrumes – citron, orange, pamplemousse – raisin noir (avec les pépins et la peau !), papaye, goyave

- **Foie fatigué** : jus de citron (sans sucre !), gingembre, choux, poireau, ail, radis noir, artichaut, cresson, carotte, patate douce, oignon, herbes (basilic, coriandre, menthe, pissenlit, estragon), tous fruits dont pomme
- **Goutte** : cerise noire
- **Hémorroïdes** : ail, oignon, piment, gingembre
- **Hyperacidité** : agrumes (citron, pamplemousse, orange, clémentine)
- **Hyperactivité** : asperge, champignon, épinard, poivron
- **Hypertension** : céleri (branche), légumes en général (frais ou surgelés, nature) surtout ail, blette, choux, épinard, légumes verts à feuilles, patate douce, pomme de terre vapeur ou à l'eau (nature + filet d'huile d'olive), potiron, épices et herbes aromatiques (pour remplacer le sel), fruits frais surtout banane, melon, fruits secs (surtout figue, pruneau, abricot), jus de tomate, de carotte, d'orange, de pamplemousse (pressé, frais)
- **Immunité** : ail, brocoli, carotte, champignon shiitaké, chou, citrouille, épinards, orange, piment
- **Indigestion** : asperge, piment, cresson, ananas, gingembre, herbes (basilic, menthe, romarin)
- **Infections respiratoires** : ail, radis noir, piment, gingembre
- **Inflammation** : ail, ananas, cassis, gingembre,

oignon, pomme

- **Mal des transports** : voir « nausées »
- **Maux de tête, migraines** : gingembre, menthe
- **Ménopause/ostéoporose** : fruits et légumes à chaque repas, surtout choux, cresson, persil, cerfeuil, brocoli, oignon, avoine, fenouil, pissenlit, épinard, ananas (y compris jus), pomme, poire, pêche, raisin, agrumes, figue
- **Minceur** : agrumes, aubergine, banane, fruits et légumes (tous, surtout frais, surtout crus), pomme, prune, soja, tomate
- **Nausées** : gingembre, menthe, citron
- **Ongles** : pomme de terre, céleri, choi, oignon, ail, concombre, agrumes, kiwi, baies, raisin, fruits secs
- **Prostate (protection)** : tomate (cuite), oignon, graines de citrouille (et autres graines – melon, concombre, sésame), pastèque
- **Rétention d'eau** : fruits et légumes diurétiques – ail, asperge, aubergine, céleri, citron, coriandre, cumin, endive, oignon, persil, poireau
- **Rhumatismes :** asperge, cassis, céleri, gingembre, persil, pomme
- **Rhume/grippe** : agrumes, ail, cassis, cresson, légumes verts foncés, oignon, poivron rouge
- **Soleil (protection)** : agrumes, ail, asperge, brocoli, choux, fenouil, fruits exotiques, fruits et légumes très colorés, oranges ou verts (carotènes), fruits rouges, maïs, oignon, pastèque, piment, tomate
- **Sommeil (troubles)** : aubergine, avocat, banane, chou, cresson, mâche, gingembre, oignon, tomate

- **Stress** : ail, écorce d'orange ou de citron (zeste), fenouil, gingembre, oignon, persil, pomme de terre
- **Syndrome prémenstruel** : asperge, artichaut, cassis, céleri, poireau, persil, ananas (y compris jus), noix, épinard, pomme de terre, banane, noix, amande, poivron rouge, choux, graines germées
- **Tabac (sevrage)** : citron, épinards
- **Ulcère estomac** : ail, banane, banane plantain, chou cru (et jus), réglisse. Si douleurs peu importantes piment chili, piment rouge, poivre (contrairement aux idées reçues)
- **Vieillissement accéléré** : végétaux antioxydants – ail, asperge, avocat, avoine, baies, brocoli, carotte, choux (tous), épices (toutes), épinards, fines herbes (toutes), mangue, noix, oignon, patate douce, piment, potiron, salade verte (laitue, mâche…), tomate
- **Vomissements :** voir « nausées »
- **Vue (protection œil et amélioration vision) :** cassis, myrtille, cerise noire, agrumes, légumes verts à feuilles, poivron rouge, maïs, courge, brocoli, épinard

LES 44 MEILLEURS FRUITS ET LÉGUMES

Nous avons choisi pour vous les fruits et légumes présentant le maximum de qualités nutritionnelles. Vous découvrirez à quel point il est facile et rapide de les accommoder à peu près à toutes les sauces (on se comprend). N'importe quel être humain doté d'une plaque chauffante et d'un couteau peut accomplir des merveilles, même s'il est dénué de tout talent culinaire, impatient et qu'il est né avec deux mains gauches.

Mais avant de passer aux travaux pratiques, quelques derniers conseils pour la route, afin de bénéficier au maximum des bienfaits de vos fruits et légumes.

- **Achetez-les régulièrement** – dans l'idéal, tous les 2 ou 3 jours. Faire le plein une fois tous les 15 jours au supermarché n'est pas une bonne solution.
- **Laissez sur l'étal les spécimens défraîchis**, mous, humides, sans couleurs ou détériorés.
- **Ne laissez pas vos végétaux à la lumière** ni à la chaleur. Ils ont beau être décoratifs dans un compotier, ce n'est pas la meilleure place pour les vitamines (sauf exception). La majorité d'entre eux sont mieux au réfrigérateur, dans le bac à légumes.

- **Si vous habitez en maison**, une cave fraîche et non humide est tout simplement parfaite. C'est encore mieux que le frigo !
- **Ne laissez pas vos végétaux tremper**. Lavez-les rapidement (mais soigneusement !) sous l'eau du robinet.
- **Ne les préparez pas à l'avance**, par exemple ne confectionnez pas une grosse salade de crudités pour toute la semaine, dans laquelle vous piocherez une « part » chaque jour.
- **Ne les cuisez pas trop longtemps** et pas dans l'eau (ou consommez le bouillon). Préférez la vapeur qui, en outre, les débarrasse en partie des traces de pesticides qu'ils pourraient encore contenir.
- **Ne maintenez pas vos plats au chaud** pendant de longues heures (cas typique : la cantine ou le restaurant d'entreprise), il n'y a pas pire pour les vitamines.
- **Ne réchauffez pas vos plats plusieurs fois** (donc ne préparez pas de grandes quantités pour toute la semaine !). Si les légumes crus se conservent relativement bien, ce n'est pas le cas lorsqu'ils sont cuits.
- **Un petit repère visuel tout simple :** vos légumes doivent « prendre » la moitié de la place dans votre assiette. Moins, c'est insuffisant !

L'ABRICOT

Calories = 47/100 g

Les principaux apports nutritionnels (pour 100 g) :

Fibres = 2,1 g
Potassium = 315 mg
Vitamine E = 0,7 mg
Calcium = 16 mg
Fer = 2 mg
Carotènes = 1,5 mg

- Fibres = elles sont douces et très bien tolérées
- Potassium = il est diurétique
- Vitamine E = une source intéressante
- Calcium = une source complémentaire non négligeable
- Fer = une bonne source, à condition de l'associer à des végétaux riches en vitamine C
- Carotènes = on les assimile mieux si le fruit est cuit

C'est la saison ! De juin à août.
Ça se conserve comment ? Maximum 5 jours à température ambiante (pas de frigo).
Ça se congèle ? Oui, mais pas entiers. Découpez-les au milieu, retirez le noyau et présentez vos oreillons à plat sur une plaque, que vous déposerez une nuit dans le congélateur. Le lendemain, récupérez les moitiés d'abricot congelées et rangez-les dans des sacs plastiques « spécial surgelés ».
Ça se mange cru ? Oui.
Cuisson conseillée ? Four, tagine, étouffée.

Capital santé

- Deux abricots apportent la moitié de nos besoins journaliers en carotènes. Le tout pour un très faible apport calorique, donc une bonne mine tout en gardant la ligne. Mais surtout une excellente protection antioxydante, un rempart contre les maladies cardio-vasculaires et certains cancers. Pensez aux abricots secs hors saison.
- Comme tous les végétaux riches en potassium, l'abricot est recommandé en cas d'hypertension et de rétention d'eau.
- Ses fibres douces régulent le transit intestinal et préviennent la constipation. Là encore, les abricots secs peuvent rendre service.
- Il ne faut jamais manger l'amande d'un abricot, c'est très toxique (cyanure).

> ⚠ Les abricots secs sont généralement traités avec un additif appelé anhydride sulfureux. Les personnes allergiques (notamment asthmatiques) devraient opter pour des fruits secs bio qui n'en contiennent pas. On reconnaît facilement les abricots secs traités : ils sont orange vif, tandis qu'au naturel, ils prennent une teinte marron.

Astuces de pro

- L'abricot mûr est très fragile, c'est pourquoi il est souvent cueilli avant maturation complète. N'achetez cependant pas d'abricot trop ferme : il ne mûrira pas plus. Ne vous laissez pas abuser par la seule couleur, qui apparaît avant sa maturité !

- Toujours en raison de sa fragilité, c'est un fruit qui reçoit de nombreux traitements (pesticides), dont les résidus sont, mathématiquement, encore plus concentrés dans les fruits secs. Optez pour le bio.
- L'abricot perd 1 % de son poids chaque jour, donc achetez-en en petites quantités.
- Évitez le réfrigérateur, préférez le compotier.
- Curieusement, l'abricot cuit devient moins « sucré » parce que plus « acide » bien que ces sensations soient subjectives. Pensez à toujours ajouter du miel, du sirop d'érable, de la cassonade et/ou d'autres fruits plus doux en cas de cuisson. Pour les tartes, mieux vaut saupoudrer le fond de tarte de poudre d'amandes, qui absorbe l'eau des fruits et évite la pâte détrempée.
- Le voluptueux abricot se prête à toutes les fantaisies : il égaye le riz au lait, le taboulé, les salades de fruits, passe à la casserole pour un fruit poché délicat, devient sorbet, clafoutis, brioche pour nous séduire…
- Si vous réhydratez des abricots secs avant une préparation, commencez par les blanchir (passer dans l'eau bouillante) pendant 5 minutes afin d'éliminer la plus grande partie des additifs. Égouttez-les ensuite.
- L'abricot se marie bien avec le foie gras poêlé, le canard, l'agneau ou le poulet, ainsi qu'avec certains poissons et fromages, notamment le chèvre frais. Il s'incorpore facilement dans des plats traditionnels (tajine). N'oubliez pas que cuit, il est moins sucré et apporte une note acidulée.
- Archi-rapide, plus ludique et moins calorique qu'une tarte : émiettez des biscuits, amandes, noi-

settes concassées sur des moitiés d'abricot (ou des quarts si vous avez le temps). Passez l'ensemble au four. Au bout de quelques minutes, vous obtiendrez un dessert délicieusement riche en vitamines, minéraux et carotènes.

- Encore plus léger : dénoyautez vos abricots, arrosez-les d'une cuillère à soupe d'eau, ajoutez un filet de citron et de miel, et enfournez le tout quelques minutes. Servez sur un fromage blanc bien frais.
- Et encore : préparez une salade d'abricots au miel d'acacia que vous laisserez macérer dans une infusion de menthe ou de verveine. Servez avec une tranche de cake ou des madeleines, tièdes si possible.

Recette spécial débutant

Confiture d'abricots secs

100 g d'abricots secs • 35 cl d'eau • 1 filet de jus de citron • 500 g de sucre

① Laissez tremper les abricots dans de l'eau additionnée du jus de citron pendant 4 heures. Ils doivent bien baigner dans le liquide.

② Sortez-les de leur jus, coupez-les en petits morceaux et faites-les cuire dans leur « sirop » pendant 4 minutes.

③ Mettez en pot. Fermez tout de suite. Une fois refroidis, placez au réfrigérateur.

Ça alors !
En latin, abricot se dit « *praecoquum* » ce qui signifie « fruit précoce ». C'est effectivement le premier fruit de l'été !

L'AIL

Calories = 135/100 g

Les principaux apports nutritionnels (pour 100 g) :

Fibres = 3 g
400 constituants
Substances soufrées

- Calories = négligeables en utilisation normale
- Fibres = un bon taux, mais on en consomme trop peu pour une action réelle
- Substances soufrées = alliine, ajoène, trisulfure d'allyle… c'est l'intérêt majeur de l'ail
- 400 constituants – dont au moins une douzaine d'antioxydants

C'est la saison ! Toute l'année.
Ça se conserve comment ? Plusieurs mois dans un endroit sombre, sec, frais, aéré. Mais ne traînez pas trop : plus il vieillit, moins il est bon. Rangez-le à part : il procure un goût d'ail à tout ce qui l'entoure.
Ça se congèle ? Inutile !
Ça se mange cru ? Oui. Certains croquent carrément des gousses.

Cuisson conseillée ? À la poêle avec de l'huile d'olive (5 minutes), en soupe ou vapeur (10 minutes) ou rôti au four (20 minutes, laisser la gousse telle quelle).

CAPITAL SANTÉ

- L'ail est si bénéfique qu'il est à la frontière entre l'aliment et le médicament. Il est extrêmement protecteur pour le cœur et devrait être consommé quotidiennement par toutes les personnes à risque. Il fluidifie le sang, abaisse la tension et le taux de cholestérol, est très antioxydant. Il protège de l'infarctus et de l'attaque cérébrale.
- Il prévient aussi la survenue des cancers. Les consommateurs réguliers voient leur risque de développer un cancer diminuer de moitié !
- Il protège le cerveau – on le prescrit en Chine depuis très longtemps comme anti-âge cérébral.
- Il protège les bronches et les poumons.
- Il renforce l'immunité. C'est un antibiotique naturel, dont le champ d'action est nettement supérieur à tous les médicaments antibiotiques, même s'il est moins puissant. Il est efficace à haute dose contre l'herpès, les mycoses, la grippe, le rhume et autres gastro-entérites.
- Les personnes qui le digèrent mal tolèrent mieux l'ail pressé, car les fibres restent dans le presse-ail.
- L'ail rose de Lautrec est plus digeste que son cousin blanc, classique. Et ce dernier est plus digeste que le même, jauni, vieilli, franchement déconseillé.
- La maman qui allaite devrait l'éviter car il modifie le goût du lait. Le bébé n'apprécie pas !

⚠ Au-delà de 3 gousses par jour, l'ail cru peut être toxique. Au-dessus du seuil des 8 gousses, c'est l'hémorragie gastrique…

Astuces de pro

- L'ail frais est une petite merveille, peu fréquente sur nos marchés. Il est arraché avant le dernier stade c'est-à-dire avant que le feuillage fane et se couche. Très riche en eau, il se conserve mal. Mais il est si doux !
- L'ail apprécie les endroits frais, mais pas le réfrigérateur. Mieux vaut renouveler fréquemment l'achat plutôt que de le laisser se dessécher.
- Plus il est foncé, mieux il se conserve. En conditions optimales, le « blanc de blanc » ne se garde « que » 6 mois environ, contre 1 an pour l'ail coloré.
- Il est fragile. S'il est agressé, il libère des enzymes responsables de son odeur entêtante.
- Il est fréquent que l'ail germe. Ce n'est pas grave, mais la germination altère la saveur et les atouts nutritionnels de départ. En revanche, rien n'empêche de consommer le germe lui-même, en petits morceaux dans une salade : il remplace fort bien la ciboulette, c'est un délice. Surtout en hiver, quand cette herbe manque alors que l'ail, lui, germe à tout va !
- Pour une saveur extra-forte, il faut l'écraser avec le plat du couteau, puis pilonner sa chair avec du sel. Au contraire, pour atténuer son goût, on le coupe finement, voire on le laisse en gousse entière : elle parfume mais on ne la mange pas.

- Si vous le trouvez indigeste, faites-le cuire dans plusieurs eaux avant de l'utiliser en cuisine (jetez l'eau de cuisson au fur et à mesure et remplacez par de la « nouvelle »). Mais c'est cru que l'ail donne le meilleur de lui-même, car ses « antibiotiques » sont dans l'huile volatile.
- Insérez-le systématiquement dans vos poêlées, surtout si elles sont composées de légumes méditerranéens (tomates, aubergines…). Il adore l'huile d'olive. Mijoté, il perd ses vertus antibiotiques mais en conserve beaucoup d'autres ! Vous pouvez aussi simplement frotter les parois d'un saladier ou d'un plat à gratin, juste pour le parfum.
- Les produits tout prêts type ail déshydraté ou purée d'ail sont peu attractifs d'un point de vue nutritionnel, et en plus ils rancissent rapidement. Quant à l'ail surgelé, il présente peu d'intérêt puisque l'ail « normal » se conserve très bien.
- Impossible de rater un aïoli : on pèle 6 gousses d'ail, on les mixe (au mixeur ou dans un mortier) avec 2 jaunes d'œuf et une minuscule pincée de sel. La pâte doit devenir épaisse. On verse environ 25 cl d'huile d'olive, et on monte la sauce comme une mayonnaise (au mixeur ou au fouet). Trop épais ? On ajoute un filet de jus de citron. Puis on assaisonne jusqu'à ce que le résultat soit parfait. On déguste avec un œuf dur ou du poisson, chaud ou froid. Un aller simple pour le Sud.
- Croquer un grain de café, sucer de la cardamome ou mâcher du persil est recommandé pour atténuer les effets de l'ail sur l'haleine. Il faut bien reconnaître que les résultats sont modestes… Commencez par ôter le germe de l'ail, cela diminuera un peu son parfum.

Recette spécial débutant

Spaghettis à l'ail
Spaghettis • 1 tête d'ail • Huile d'olive • Sel, poivre

① Faites chauffer l'eau des pâtes. Dès le début, plongez-y une tête d'ail entière non épluchée.

② Lorsque l'eau bout, jetez-y vos pâtes et faites-les cuire normalement.

③ Arrêtez la cuisson lorsqu'elles sont *al dente* (c'est meilleur pour la ligne et les papilles), égouttez-les. Jetez l'eau et la tête d'ail.

④ Versez 1 filet d'huile d'olive sur les pâtes, salez, poivrez.

Ça alors !
L'ail doit toujours êtres haché ou pilé au dernier moment. Il s'oxyde dès qu'il est en contact avec l'air.

L'ANANAS

Calories = 52/100 g

Les principaux apports nutritionnels (pour 100 g) :

Fibres = 1,4 g
Potassium = 250 mg
Vitamine C = 18 mg
Vitamine B9 = 0,014 mg
Bromélaïne

- Fibres = plus on se rapproche de l'axe, moins elles sont digestes
- Potassium = riche en potassium et pauvre en sodium, comme la plupart des fruits
- Vitamine C = intéressante, surtout dans l'ananas frais
- Vitamine B9 = peu fréquente dans les fruits, on la trouve surtout dans les légumes verts
- Bromélaïne : cette enzyme améliore la digestion des protéines

C'est la saison ! De décembre à avril.
Ça se conserve comment ? Quatre jours à l'air ambiant (si vous voulez qu'il continue à mûrir) deux jours au frigo (s'il est déjà mûr).
Ça se congèle ? Oui mais pas tel quel : épluchez-le et coupez-le en tranches ou en dés, que vous rangerez dans une boîte spéciale congélation (ou un sachet).
Ça se mange cru ? Oui.
Cuisson conseillée ? Aucune car la chaleur lui fait perdre ses propriétés. Mais les gourmands résistent rarement à une tranche poêlée…

Capital santé

- L'ananas est riche en acides organiques. Leur saveur un peu prononcée dans certains autres fruits se trouve ici atténuée par la haute teneur en sucres de l'ananas.
- La bromélaïne permet de commencer à digérer immédiatement les protéines du repas. C'est pourquoi une tranche d'ananas en dessert est réputée favoriser la digestion. D'autre part, elle permet de soulager certaines indigestions. En effet, elle dissout les agglomérations d'aliments qui stagnent dans l'estomac (les « bézoards ») responsables d'inconfort ou même de douleurs digestives.
- La bromélaïne, toujours elle, limiterait la formation de caillots sanguins et protégerait donc le système cardio-vasculaire.
- Deux autres substances appelées acide coumarique et acide chlorogénique empêcheraient la formation de nitrosamines dans l'estomac. Ces dernières sont soupçonnées d'être cancérigènes.
- Des médicaments anti-inflammatoires sont fabriqués à partir de l'ananas, mais il faudrait consommer beaucoup de fruits pour parvenir au même résultat ! L'ananas contribue quand même à réduire l'inflammation et à accélérer la cicatrisation des tissus.
- Les ananas cuits pasteurisés (en boîte) ou en jus (bouteille) ne contiennent plus de bromélaïne. Préférez le fruit ou le jus frais.

⚠ Les ananas ne sont pas recommandés aux estomacs fragiles.

ASTUCES DE PRO

- La qualité des ananas-avion est sans comparaison avec celle des ananas-bateau : ils sont bien meilleurs car cueillis à maturité. Même s'ils sont plus chers, il n'y a même pas à réfléchir.
- La couleur doit être uniforme sur toute la surface, jaune/orangé. Pour savoir s'il est mûr, arrachez une des feuilles : elle doit se détacher facilement.
- Un ananas trop mûr fermente et devient vraiment mauvais. C'est aussi ce qui arrive si vous ne consommez pas rapidement vos préparations (surtout le jus).
- L'ananas fait tourner les produits laitiers (yaourts, crème fraîche, crème pâtissière…).
- Des cubes à grignoter ou à glisser dans les salades, des tranches à déguster accompagnées d'une boule de glace vanille (encore meilleur : faites-les revenir deux minutes dans une poêle chaude et beurrée), l'ananas s'adapte à tout, y compris aux plats les plus traditionnels. Un rôti de porc à l'ananas, qu'est-ce que vous en dites ?
- On peut cuire l'ananas au four. Il suffit de le rincer et de le placer à four chaud pendant une bonne demi-heure. Vous pouvez l'arroser régulièrement, soit avec de l'eau, soit avec un jus épicé pour lui donner du goût.

Recette spécial débutant

Ananas mûr !

1 ananas • Du sucre • Un peu de gingembre en poudre (facultatif)

① Épluchez puis découpez votre ananas en deux, puis encore en deux. Éliminez la partie dure du milieu.

② Mettez les morceaux dans un plat un peu creux, saupoudrez de sucre et, si vous aimez et que vous en avez, d'un peu de gingembre.

③ Faites cuire 6 minutes au micro-ondes, puissance maximum. Attendez encore 1 minute avant de le sortir du four (attention à ne pas vous brûler).

Voilà, il est mûr !

Ça alors !

Ce sont les Indiens qui lui ont donné le nom le plus évocateur : *nanae*. Cela veut dire « parfum ». Vous êtes d'accord ?

L'ARTICHAUT

Calories = 40/100 g

Les principaux apports nutritionnels (pour 100 g) :

Fibres = 2 g
Fer = 1,3 mg
Calcium = 47 mg
Potassium = 330 mg
Magnésium : 31 mg
Soufre = 21 mg
Zinc = 0,5 mg

- Fibres = l'une d'entre elles, l'inuline, contribue à la bonne santé de la flore intestinale
- Fer = arrosez-le de jus de citron pour mieux l'assimiler
- Calcium = une bonne source végétale
- Potassium = il est traditionnellement utilisé comme diurétique
- Magnésium = minéral crucial pour la santé et la ligne
- Soufre = il lui confère son odeur caractéristique
- Zinc = correct pour une source végétale

C'est la saison ! D'avril à octobre.
Ça se conserve comment ? À peine quelques jours dans le bac à légumes du frigo. Et quelques heures seulement s'il est cuit !
Ça se congèle ? Seulement le cœur. On épluche l'artichaut, on retire le foin, on fait cuire le fond 3 minutes dans de l'eau bouillante avec du citron. On le laisse refroidir et on le sèche soigneusement. On peut alors le placer dans un sac spécial congélation et au congélateur.
Ça se mange cru ? Non, sauf les tout petit violets, s'ils sont extra-frais.
Cuisson conseillée ? 10 à 20 minutes à la vapeur (selon la taille).

Capital santé

- L'artichaut protège le foie grâce à un tanin, la cynarine. Il stimule la production de la bile et peut donc rendre service lorsqu'on se sent un peu nauséeux. Ce sont les feuilles externes qui en concentrent le plus. En fait, pour en bénéficier totalement, il faudrait faire une décoction de ces feuilles. C'est pourquoi l'eau de cuisson possède aussi ces propriétés : pourquoi ne pas l'utiliser pour préparer les potages ? Elle est cependant à déconseiller aux personnes qui souffrent de goutte.
- Il baisse le taux de cholestérol, sans doute toujours grâce à la cynarine.
- L'inuline qu'il contient permet de stabiliser le taux de sucre sanguin. Il est donc conseillé aux diabétiques.
- L'inuline, toujours, favorise la prolifération des bonnes bactéries intestinales et lutte contre les mauvaises. Cette propriété réduirait le risque de cancer de l'intestin.
- La sylimarine, un antioxydant, protégerait du cancer de la peau.
- Il contient de nombreux minéraux, en quantité appréciable. Notamment le calcium et le magnésium, pour un bon fonctionnement musculaire et osseux, mais aussi du fer, du cuivre et du zinc impliqués dans une multitude de réactions physiologiques.

Astuces de pro

- L'artichaut se consomme très frais : plus on attend, plus il devient fibreux et amer.
- Pour juger de sa fraîcheur, il faut casser une feuille : elle doit se briser nette avec un bruit sec. La sève doit perler.

- Les petits artichauts violets sont surtout utilisés pour les préparations crues (entrées) ou en cuisine méditerranéenne. On peut les passer simplement 7 à 8 minutes à la poêle, dans l'huile d'olive, évidemment, puis on les coupe en tranche et on fait ce qu'on veut ! Ils s'incorporent dans une salade (avec des crudités, des cubes de fromage ou de volaille, des œufs), se marient au foie gras froid ou chaud, réclament de l'ail et sont sublimés par la dégustation d'un bon verre de vin rouge.
- Le prototype de l'artichaut (breton le plus souvent) reste une valeur sûre. Il se consomme traditionnellement effeuillé et à la vinaigrette.
- Rincez-le bien avant utilisation car il « retient » les résidus de pesticides dans les replis de ses feuilles.
- En légume d'accompagnement, c'est surtout le fond qu'on utilise. Après cuisson dans l'eau bouillante ou à la vapeur (15 à 30 minutes), ou à l'autocuiseur (10 minutes), on ôte les feuilles et le foin, et on fait gratiner le cœur au four. Avec du fromage râpé, les enfants adorent !
- Il faut le manger immédiatement après la cuisson, sinon certains composés toxiques apparaissent très vite.
- Pour une petite faim : un artichaut vinaigrette accompagné de deux œufs durs.

⚠ Ce légume modifie la production et la saveur du lait des mamans qui allaitent.

Recette spécial débutant

Omelette aux fonds d'artichaut
3 ou 4 fonds d'artichaut par personne • 2 œufs par personne • Huile d'olive • Sel, poivre

① Recouvrez les fonds d'eau froide salée, portez à ébullition et laissez bouillir pendant 10 minutes.

② Pendant ce temps, battez les œufs à la fourchette dans un bol.

③ Lorsque les fonds sont cuits (une pointe de couteau s'y enfonce), égouttez-les, coupez-les en tranches sur une planche et jetez-les dans une poêle chaude avec un peu d'huile d'olive.

④ Versez les œufs dessus. Sel, poivre. Dans 2 minutes, ça va être royal.

Ça alors !
Coupez votre artichaut exclusivement avec une lame en inox : le fond noircirait immédiatement à tout autre contact.

L'ASPERGE

Calories = 26/100 g

Les principaux apports nutritionnels (pour 100 g) :

Fibres = 1,5 g
Potassium = 200 mg
Vitamine B1 = 0,2 mg
Vitamine C = 31 mg
Carotènes = 255 µg

- Fibres = dans les pointes, elles sont très tendres (pectine) ; dans la tige, elles facilitent le transit (cellulose)
- Potassium = une bonne source + un taux très faible en sodium = un légume très diurétique
- Vitamine B1 = c'est dans la pointe que se concentrent les vitamines B (B1, B3, B9). Ce sont les vertes qui en apportent le plus.
- Vitamine C, carotènes = ce sont les violettes qui en renferment le plus

C'est la saison ! De mars à mai.
Ça se conserve comment ? Franchement, l'asperge ne se conserve pas. Le mieux est de les consommer dès l'achat. Si c'est impossible, laissez-les en botte, emmaillottées dans un torchon dans le bac à légumes du réfrigérateur pour 2 jours grand maximum.
Ça se congèle ? Oui. On les fait d'abord cuire 3 minutes dans l'eau bouillante. On attend qu'elles refroidissent bien, on les sèche délicatement et on les place dans un sachet spécial congélation.
Ça se mange cru ? Non (sauf exception).
Cuisson conseillée ? 7 minutes à la vapeur ou 12 minutes à la poêle.

Capital santé

- Les asperges blanches doivent leur couleur au fait qu'elles sont totalement enterrées, elles ne voient jamais le soleil. Ce qui explique qu'elles soient aussi les plus pauvres en vitamines et minéraux.
- Les brûlures d'estomac sont soulagées par la consommation régulière d'asperges, également utiles en cas d'indigestion, car elles empêchent les nausées.
- Les intestins fragiles ne tolèrent que les pointes d'asperge. En descendant vers la base, les fibres deviennent « périlleuses ».
- En raison de sa richesse en potassium, en asparagine, en asparagose, en acide chélindonique et en coniférine, l'asperge est très diurétique. Elle est conseillée aux personnes qui souffrent de rétention d'eau ou d'hypertension. En dehors de faciliter le travail des reins, elle confère aux urines une odeur très particulière car chargée d'un composé soufré : le méthyl-mercaptan. Cette originalité n'a aucune incidence sur la santé.
- Fort peu calorique, elle est recommandée à tous ceux qui suivent un « régime ». D'autant qu'elle est riche en minéraux, donc antifatigue.
- Elle augmente le taux d'acide urique et est donc contre-indiquée en cas de goutte.

Astuces de pro

- Il y a les inconditionnels des « blanches » et d'autres des « vertes ». Ces dernières ont une saveur plus marquée. Les gourmets se procurent des asperges sauvages, rares et délicates, dont le goût est encore plus prononcé. Peut-être sur certains marchés de Provence ou de Corse…

- Les asperges ne gagnent rien à attendre : elles durcissent en vieillissant. Pour tester leur fraîcheur avant l'achat, cassez-en une : elle doit craquer. Délaissez les asperges mates, ligneuses, trop tachées, surtout si elles ont le talon grisâtre.
- Vous pouvez trouver des pointes en vrac. C'est une bonne idée, car elles sont en général fraîches et moins chères que les asperges entières. Pour une omelette, c'est parfait.
- Ne les oubliez jamais dans un sac plastique, elles se dessécheraient.
- Les asperges vertes se brossent rapidement et légèrement (avec une brosse à dents) mais ne se lavent pas.
- Plus une asperge est fraîche, plus elle s'épluche facilement.
- En dehors de minuscules asperges vertes qui peuvent se croquer, les asperges se mangent cuites.
- Les asperges vertes et fines supportent d'être à peine cuites, 5 minutes à la vapeur : croquantes, elles se laissent dévorer de haut en bas, presque nature. Une simple vinaigrette peu relevée leur suffit amplement.
- Elles apprécient particulièrement la compagnie de l'œuf (ce sont de remarquables mouillettes !) et des poissons fumés.
- Avez-vous déjà goûté des asperges à la poêle ? Détaillez-les en petits tronçons et laissez-les revenir avec un peu d'huile d'olive. Elles restent croquantes et leur saveur est toute différente de celles qui sortent de l'eau ou du cuit-vapeur.

- Ne conservez pas vos asperges cuites. Elles s'oxydent très vite et perdent leurs vitamines.

Recette spécial débutant

Asperges au fromage blanc
Asperges vertes ou violettes (les blanches sont moins bonnes, congelées) • 1 petit pot de fromage blanc • De la ciboulette surgelée • Sel, poivre

① Faites cuire les asperges quelques minutes – la durée indiquée sur le paquet dépend de la taille des asperges.

② Pendant ce temps, mélangez le fromage blanc avec l'herbe, le sel et le poivre.

③ Lorsque les asperges sont cuites, égouttez-les, laissez-les tiédir un peu.

④ Dégustez avec l'accompagnement.

Ça alors !
Lorsque vous faites cuire vos asperges à l'eau, ne la jetez pas en fin de cuisson : elle renferme beaucoup de minéraux. Gardez-la pour préparer une soupe demain. Vous pourrez y faire mijoter d'autres légumes et consommer le tout. Facile !

L'AUBERGINE

Calories = 29/100 g

Les principaux apports nutritionnels (pour 100 g) :

Fibres = 2,5 g
Potassium = 260 mg
Vitamine B3 = 0,6 mg
Tanins

- Fibres = surtout des pectines, qui stimulent l'intestin en douceur
- Potassium = il domine largement, l'aubergine est diurétique
- Vitamine B3 = une source intéressante
- Tanins = ils font brunir très rapidement sa chair et la rendent astringente

C'est la saison ! De juin à septembre.
Ça se conserve comment ? Une toute petite semaine dans le bac à légumes du réfrigérateur.
Ça se congèle ? On les découpe d'abord en tranches épaisses, à faire cuire 5 minutes dans l'eau bouillante. On sèche bien (sur du papier absorbant – renouvelez plusieurs fois l'opération séchage) et on place dans un sac à congélation.
Ça se mange cru ? Non.
Cuisson conseillée ? 10 minutes à la vapeur ou 20 minutes au four.

CAPITAL SANTÉ

- L'aubergine est l'un des légumes les moins caloriques. Mais comme il est très souvent frit dans l'huile d'olive – on trouve même des frites d'aubergines ! – cet atout ne compte plus. De même, si elle est particulièrement digeste au naturel (à la vapeur par exemple), elle l'est forcément beaucoup moins gorgée d'huile…

- Elle abaisse le taux de cholestérol sanguin (toujours à condition d'opter pour une cuisson « légère ») en empêchant l'intestin d'absorber une partie des graisses alimentaires.
- Il est recommandé de faire cuire l'aubergine avec sa peau, mais les intestins sensibles auront intérêt à l'enlever ensuite, ainsi que les graines si besoin.
- L'aubergine « appelle » l'huile d'olive, l'ail, le poivron et la tomate. Elle est au cœur de l'alimentation méditerranéenne et participe donc à la protection cardio-vasculaire. Son plat emblématique ? La ratatouille.
- En Orient, il est courant d'utiliser de la poudre d'aubergine additionnée de sel de mer pour faire blanchir les dents.

> ⚠ Si nous ne trouvons pas d'aubergine bien mûre sur nos marchés, il faut éviter de les choisir trop « vertes », car elles peuvent alors contenir de la solanine, un composé toxique que l'on retrouve dans les pommes de terre « verdies » ou germées.

Astuces de pro

- Ne cherchez pas d'aubergine mûre : vous n'en trouverez pas, car sa saveur amère ne conviendrait pas à nos palais. Ce légume est cueilli et vendu avant maturité et, même ainsi, certaines personnes le trouvent trop « typé ».

- Elle doit être souple au toucher. Laissez de côté les aubergines ternes, défraîchies, molles ou au pédoncule noirâtre.
- Il est inutile de faire dégorger l'aubergine.
- L'aubergine appelée « Egg Plant », d'origine hollandaise, est vraiment trop fade. C'est non !
- Évitez les légumes de gros calibre, farineux et porteurs de grosses graines. Ceux de 150 à 200 g sont plus fins et bien meilleurs.
- Même si son aspect est parfait, rincez-la bien sous l'eau avant de la préparer ou de la stocker dans le bac du réfrigérateur. Évitez de la laisser à l'air libre car elle perd son eau et se fripe rapidement.
- Ce légume doit passer par la cuisson pour être accepté par nos papilles et nos intestins. Elle est trop amère et trop dure pour terminer en salade, même en tous petits cubes !
- Pour concocter un caviar d'aubergine (purée d'aubergine + ail + épices), veillez à utiliser une cuillère inoxydable, sinon la chair noircit. Préférez la cuisson en papillote dans du papier sulfurisé pour cette préparation.
- Il faut toujours faire cuire l'aubergine avec sa peau : elle absorbe ainsi moins de matières grasses, sinon c'est une véritable éponge !
- Avant de la passer à la poêle pour la « touche finale », mieux vaut la cuire à la vapeur. D'ailleurs, la « poêle » n'est pas obligatoire : rien ne vous empêche d'arroser votre aubergine d'un filet d'huile d'olive au sortir du cuit-vapeur. Évitez en tout cas de la faire frire directement.
- Si vous la poêlez, épongez l'huile superflue en fin de cuisson. Il suffit de poser les rondelles d'auber-

gines cuites sur du papier absorbant pendant quelques secondes.

- Si la moussaka n'existait pas, il faudrait l'inventer. Aubergine + viande + béchamel = la perfection gustative et un plat parfait d'un point de vue nutritionnel. Attention : les moussaka toute prêtes (surgelés, traiteur) sont ultra-grasses !
- Pour « adoucir » l'aubergine, pensez à l'œuf, qui lui convient à merveille, ou à l'agneau. Les poissons ne l'aiment pas trop.

Recette spécial débutant

Aubergine mozza

1 aubergine • 1 boule de mozzarella • 2 tomates • Filet d'huile d'olive

① Préchauffez le four (très chaud). Rincez l'aubergine et les tomates. N'épluchez rien (en cuisine, souvent, moins on en fait, mieux ça vaut).

② Coupez les légumes en tranches à peu près égales (environ 1 cm. Pas moins, sinon tout risque de s'effondrer à la cuisson). Idem pour le fromage.

③ Badigeonnez le tout d'un peu d'huile d'olive. Rangez vos tranches une par une dans un plat, en alternant (très joli).

④ Enfournez pour 15 minutes environ.

Ça alors !
La chair compacte de l'aubergine rend sa cuisson un peu longue. Plus vous la coupez fin ou plus vous l'entaillez, plus vite elle cuira.

L'AVOCAT

Calories = 200/100 g

Les principaux apports nutritionnels (pour 100 g) :

Vitamine E = 1,9 mg
Carotènes = 0,18 mg
Fibres = 3 g
Potassium = 522 mg
Lipides = 14,2 g

- Vitamine E = l'un des végétaux les plus riches
- Carotènes = sa teneur n'est pas négligeable
- Fibres = elles favorisent la réduction du cholestérol
- Potassium = il participe à l'équilibre de la tension artérielle
- Lipides (gras) = dont 8,9 g d'acides gras mono-insaturés, protecteurs cardiaques

C'est la saison ! D'octobre à avril.
Ça se conserve comment ? Jusqu'à une petite semaine (si vous l'achetez pas encore mûr) à température ambiante, mais à peine 2 jours (s'il est mûr) au frigo.
Ça se congèle ? Non.
Ça se mange cru ? Oui.
Cuisson conseillée ? Non.

Capital santé

- Relativement calorique, l'avocat est riche en graisses, mais ce sont en grande majorité des acides gras bénéfiques pour la santé, notamment cardiaque. Il possède, par ailleurs, d'autres substances protectrices pour le cœur (la vitamine E qui s'oppose à l'oxydation du cholestérol, les fibres qui piègent ce dernier, les carotènes protecteurs, le potassium...).
- Relativisons son apport calorique : il ne l'est pas plus que les œufs et moins que le pain.
- Malgré sa haute teneur en graisses, il est facile à digérer car il contient de nombreuses enzymes.

Astuces de pro

- Si vous ne l'épluchez pas, pensez à le rincer avant de le servir coupé en deux et présenté sur une assiette.
- Comme il est déjà gras, inutile de le remplir de vinaigrette ou de mayonnaise... Un filet de citron, un peu de sel et de poivre suffiront à faire d'un demi-fruit une entrée savoureuse.
- Puisqu'il mûrit après avoir été cueilli (on dit qu'il est « climatérique »), pensez à en choisir à différents stades de mûrissement afin de pouvoir étaler leur consommation dans le temps.
- La couleur de la peau dépend des variétés : elle n'a aucun rapport avec le degré de maturité. Cependant, si elle est foncée à l'extrémité (pédoncule), l'avocat sera probablement trop mûr.
- L'avocat ne se cuit pas, il se consomme exclusivement cru. Par conséquent, sa teneur en vitamine C (11 mg/100 g) reste constante, bien protégée par la peau.

- Si vous l'associez à du saumon fumé, dans une salade par exemple, vous profiterez des acides gras protecteurs des deux aliments.

Recette spécial débutant

Avocat mûr !
1 avocat • Du papier journal (pas magazine !)

① Emballez votre avocat dans du papier journal. Mettez-le au micro-ondes pendant 30 secondes.

Plan B – Pas de micro-ondes ?

① Emballez votre avocat dans du papier alu ou sulfurisé.

② Enfournez dans un four classique à chaleur moyenne (th. 6) pendant environ 10 minutes. Résultat parfait garanti.

Ça alors !
Comme pour l'artichaut, l'avocat doit impérativement être coupé avec une lame inox. Sinon, oxydation immédiate.

LA BANANE

Calories = 90/100 g

Les principaux apports nutritionnels
(pour 100 g) :

Vitamine C = 10 mg
Fibres = 2 g
Potassium = 385 mg
Magnésium = 30 mg
Vitamine E = 0,6 mg

- Vitamine C = moins le fruit est mûr, plus il est riche en vitamine C
- Fibres = harmonieusement réparties en cellulose et pectines, elles ne sont pas irritantes
- Potassium = l'un des aliments « record » !
- Magnésium = idéal pour apaiser la nervosité
- Vitamine E = un taux non négligeable pour un fruit

C'est la saison ! Toute l'année.
Ça se conserve comment ? Plusieurs jours à température ambiante. Surtout pas au réfrigérateur !
Ça se congèle ? Non (sauf pour faire des smoothies).
Ça se mange cru ? Oui !
Cuisson conseillée ? 10 à 15 minutes au four en papillote ou 5 minutes à la poêle.

Capital santé

- Moins elle est mûre, plus ses sucres sont « lents » (amidons). Au fur et à mesure de sa maturation, ils se transforment en sucres « rapides ».
- Une banane est mûre dès que sa peau est uniformément jaune. La totalité de l'amidon est alors transformée en sucres solubles et le fruit est parfaitement digeste. La consommer plus mûre est affai-

re de goût et non de nutrition. Mais rappelez-vous que la teneur en vitamine C chute inexorablement avec le temps…

- Elle renferme un tout petit peu de graisse (à peine), support naturel des arômes du fruit.
- Toutes les vitamines B sont représentées sauf la B12, quasi absente du règne végétal.
- Elle est conseillée aux estomacs fragiles. Ses propriétés antiacides et antiulcéreuses sont connues de longue date. Sans doute parce qu'elle stimule la prolifération de cellules qui protègent la muqueuse contre l'inflammation.
- La banane peu mûre est indiquée en cas de constipation, alors que très mûre, elle soulage les diarrhées !
- Elle améliore l'humeur et le sommeil car elle augmente le taux de sérotonine, une substance apaisante.
- Elle est très facile à digérer et convient à tous :
  - aux bébés : c'est l'un des premiers aliments lors de la diversification alimentaire (la pocher puis l'écraser).
  - aux enfants : elle améliore le petit déjeuner des écoliers qui manquent d'appétit ou de temps.
  - aux sportifs : elle contient tout ce qu'il faut pour un bon travail musculaire.
  - aux autres : elle est parfaite pour caler un petit creux ou compléter un repas un peu léger.

⚠ Contrairement aux idées reçues, la banane ne remplace pas un steak : elle n'apporte pas les mêmes éléments !

Astuces de pro

- Ne conservez pas vos bananes au réfrigérateur. En dessous de 12°C, elles noircissent, deviennent farineuses et perdent leurs qualités gustatives.
- En préparation, la banane aime le rhum, le chocolat, le café, tous les autres fruits et… le boudin noir !
- La banane plantain doit être impérativement cuite car ses amidons ne se transforment pas en sucre. C'est pourquoi elle est considérée comme un légume. En fait, elle associe les qualités nutritionnelles des féculents (sucres « lents ») et des légumes frais (minéraux, fibres et vitamines). Pochez-la directement dans sa peau pendant 30 minutes, vous obtiendrez une excellente purée. Ou coupez-la en deux et passez-la à la poêle, arrosée de lait de coco, pendant 15 minutes. Un délice avec une brochette de poissons.

Recette spécial débutant

Compote de banane ULTRA-simple et ULTRA-light

1 banane

① Préchauffez le four (très très chaud).

② Au bout de quelques minutes, posez la banane telle quelle sur la plaque (laissez cuire pendant que vous mangez votre repas).

③ Après 10 minutes de cuisson (un peu plus si la banane était « verte » ou de gros calibre), sortez-la du four ; posez-la sur une assiette. La peau est toute noire, c'est normal.

④ Entaillez la peau avec un couteau très pointu sur toute la longueur. Plongez une petite cuillère dedans et dégustez. Attention, la chair est brûlante !

Ça alors !
Grave erreur stratégique que de se priver de banane pour maigrir, sous prétexte qu'elle est un petit peu calorique. C'est au contraire un fruit qui « cale », n'apporte que des « bons sucres » (anciennement appelés « sucres lents »), renferme des fibres extra-rassasiantes, des minéraux précieux pour la ligne et s'avère très antistress. À votre place, on reverrait la question.

LE BROCOLI

Les principaux apports nutritionnels (pour 100 g) :

Calories = 34/100 g

Carotènes = 0,63 mg
Calcium = 93 mg
Acide folique (vitamine B9) = 0,11 mg
Fer = 1,4 mg
Vitamine C = 110 mg
Vitamine E = 1 mg
Soufre = 167 mg

- Carotènes = famille d'antioxydants majeurs
- Calcium = les variétés « vert » (« calabrais » = classique) et « à têtes pourpres » en contiennent plus que les autres

- Acide folique = la variété « à têtes pourpres » est championne !
- Fer = on l'assimile d'autant mieux que le brocoli est riche en vitamine C
- Vitamine C = une cuisson prolongée la détruit
- Vitamine E = un antioxydant majeur
- Soufre = les propriétés anticancer des substances soufrées sont bien établies

C'est la saison ! De juin à février.
Ça se conserve comment ? Sans y toucher (en le laissant emballé tel quel), on peut le laisser au réfrigérateur pendant 5 jours maximum.
Ça se congèle ? On détache les bouquets que l'on fait cuire 5 minutes à l'eau bouillante. Une fois refroidis et séchés, on peut les ranger dans un sac spécial congélation et les placer au congélateur.
Ça se mange cru ? Oui.
Cuisson conseillée ? 10 minutes à la vapeur (en ayant séparé les bouquets).

> ⚠ Le brocoli réduit l'absorption d'iode. Il est déconseillé d'en consommer plus de 2 fois par semaine en cas de problème de thyroïde. Pour compenser, augmentez votre consommation d'aliments marins (par exemple poisson + brocoli).

Capital santé

- Il possède diverses propriétés anti-cancer encore plus affirmées que celles des autres choux.
- Il aide à prévenir la cataracte.

- Il protège le cœur.
- Il est particulièrement riche en antioxydants.

ASTUCES DE PRO

- Comptez 2 têtes de 300 g pour 4 personnes.
- Le brocoli est délicieux à croquer cru, nature (ou trempé dans du fromage blanc), ou râpé sur des salades ou des plats. On peut aussi le napper d'une vinaigrette à l'huile d'olive et de noix concassées.
- Vous avez cuit votre brocoli à la vapeur ? Ajoutez un filet d'huile d'olive citronnée, un peu de sel, c'est tout.
- Le brocoli doit être extra-frais. Sinon, optez pour le surgelé.
- Réduisez en chapelure des sommités de brocoli cru (mixeur électrique indispensable) que vous saupoudrez sur des salades, des pâtes, etc.
- À l'italienne = peu cuit, arrosé d'un filet d'huile d'olive et de 3 gouttes de vinaigre balsamique. Mamma mia !
- En potage : faites-le cuire avec des pommes de terre, mixez le tout et allongez avec du lait demi-écrémé ou du lait de soja.
- Les bonnes associations : courgette, ail, fromages râpés, poisson, coquillage et viande blanche.

Recette spécial débutant

Purée de brocoli au beurre salé
1 tête de brocoli • Du beurre salé

① Faites bouillir de l'eau dans une casserole. Pendant ce temps, détachez les fleurs du brocoli (plus vous obtiendrez des parties petites, plus vite elles cuiront).

② Une fois que l'eau bout, jetez les brocolis dedans et laissez cuire 8 à 10 minutes.

③ Égouttez-les, écrasez-les grossièrement à la fourchette ou au presse-purée si vous avez cette merveille. Assaisonnez d'un morceau de beurre salé et quelques pincées de muscade si vous aimez. Rien de meilleur.

Pourquoi pas avec une tranche de jambon ?

Ça alors !
Le brocoli est une variété de chou-fleur. On consomme… sa fleur !

LA CAROTTE

Calories = 38/100 g

Les principaux apports nutritionnels (pour 100 g) :

Carotènes = 7 mg
Acide folique (vitamine B9) = 0,03 mg
Magnésium = 14 mg
Potassium = 300 mg
Vitamine E = 0,5 mg

- Carotènes = plus la carotte est grosse, plus elle en contient. Les carottes nouvelles en apportent moins.
- Acide folique = un protecteur cardiaque majeur
- Magnésium = un taux moyen mais toujours utile
- Potassium = intéressant si on ne la sale pas trop
- Vitamine E = un antioxydant essentiel

C'est la saison ! Toute l'année (de mai à juillet pour la carotte primeur).

Ça se conserve comment ? 2 à 5 jours dans le bac à légumes du frigo (pour les primeurs, laissez les fanes jusqu'au dernier moment).

Ça se congèle ? Préparez-les d'abord, soit en les faisant bouillir 3 minutes, soit en confectionnant une purée. Puis, sachet à congélation, congélateur. Vous connaissez maintenant la musique.

Ça se mange cru ? Bien sûr ! En bâtonnets ou râpé. Ou à croquer, comme Bugs Bunny !

Cuisson conseillée ? 10 à 20 minutes à la vapeur (selon si taillées en rondelles ou non).

Capital santé

- La provitamine A (carotènes) protège nos cellules du vieillissement prématuré. Certains carotènes, comme le bêtacarotène, se transforment en vitamine A, nécessaire à la vision et à la croissance.
- Les carotènes protègent de certains cancers, plus particulièrement de celui du poumon.
- La teneur élevée en potassium et pauvre en sodium aide à conserver une tension artérielle normale – le potassium s'oppose à l'hypertension.
- Les vitamines se trouvent en grande majorité sous la peau très fine. Evitez d'éplucher vos carottes, même au couteau économe. Mieux vaut simplement les gratter.
- Ses fibres sont très douces. Ce sont des pectines qui rééquilibrent le transit intestinal et ont un effet coupe-faim.

Astuces de pro

- Les carottes doivent être fermes, non meurtries et d'une belle couleur orange vif.
- Crues elles sont plus riches en vitamine C. Cuites, elles libèrent leurs carotènes. Vous n'avez plus qu'à les déguster sous forme de crudités (carottes râpées, jus préparés à la centrifugeuse et assaisonné au sel de céleri) ET cuites, incorporées dans de bons petits plats type pot-au-feu ou simplement taillées en rondelles à la poêle, avec un petit peu d'eau. Facilissime.
- Après une cuisson vapeur, ajoutez un filet d'huile d'olive citronnée ou orangée (quelques gouttes de jus d'orange), une pincée de sel.

- En potage : faites cuire dans un peu d'eau, mixez le tout et allongez avec un bouillon (de poule par exemple). Pensez à l'estragon, au curry et à la coriandre.
- Les bonnes associations : toutes les crudités (concombre, céleri, fenouil, mâche, endive, laitue…), les épices (cumin, noix de muscade, clou de girofle), les agrumes, les herbes (persil, ciboulette), les oignons et les échalotes, les viandes à braiser (veau, mouton, bœuf), les œufs, les volailles.
- En version sucrée, la carotte inspire de nombreux desserts : confitures (avec des abricots secs), tartes (avec des noix de pécan), salade de fruits en dessert (avec des quartiers d'orange et de pomelo et une pointe de cannelle), ou pourquoi pas, sorbet à la carotte et aux herbes. À tester !

Recette spécial débutant

Smoothie carotte/pomme/persil

2 carottes • 1 pomme • 1 brin de persil

① Rincez les carottes, la pomme et le persil. Jetez le tout dans la centrifugeuse.

② Mixez. C'est prêt.

Pas de centrifugeuse ? Il va falloir vous rabattre sur du jus « normal », au mixeur. Dans ce cas, il faut éplucher et épépiner la pomme (le temps de recette monte tout de suite à 2 minutes). Mixez le tout.

Ça alors !
La carotte est une racine et, comme toutes les autres racines (type navet), elle doit cuire à l'eau bouillante, à couvert. L'inverse des légumes verts !

LA CERISE

Calories = 68/100 g

Les principaux apports nutritionnels (pour 100 g) :

Fibres = 2 g
Potassium = 250 mg
Vitamine C = 15 mg
Bêtacarotène = 0,4 mg
Nombreux minéraux

- Fibres = on en bénéficie à 100 % puisqu'on mange toujours la peau des cerises
- Potassium = un taux intéressant
- Caroténoïdes = plus elles sont foncées, plus elles en renferment
- Minéraux = la cerise en apporte beaucoup, c'est donc un fruit reminéralisant.

C'est la saison ! De la fin mai au début juillet.
Ça se conserve comment ? Dans un compotier, à l'abri de la lumière et de la chaleur. Éventuellement au frigo.
Ça se congèle ? On les rince, on retire les queues et les noyaux, on les pose à plat sur un plateau que l'on glisse une nuit au congélateur. Ensuite on récupère les cerises et on les range dans le sac à congélation, puis au congélateur.

Ça se mange cru ? Oui, oui, oui !
Cuisson conseillée ? Pochées dans un sirop ou du vin (5 à 10 minutes), poêlées quelques minutes ou au four, en clafoutis bien sûr...

CAPITAL SANTÉ

- Les cerises rouges, violettes ou noires contiennent des pigments très protecteurs, les anthocyanes. Elles soulagent en cas de crise de goutte car elles s'opposent à l'accumulation d'acide urique sous forme de cristaux dans les articulations. Hors saison, pensez aux cerises congelées !
- Elles renforcent les petits vaisseaux sanguins (mains, pieds, yeux…).
- Comme elles sont très sucrées, les diabétiques doivent les consommer avec modération.
- Pour bien digérer les cerises, il faut éviter d'en manger par tonnes (ce qui est fréquent), bien les mâcher et ne pas boire trop d'eau au même repas. Les intestins vraiment fragiles opteront pour les cerises cuites (clafoutis, compotes, gratins) car les fibres sont toujours attendries par la cuisson.
- Lorsqu'on les digère, les cerises libèrent des composés alcalins qui tamponnent l'acidité d'une alimentation trop riche en viande. Il faut toujours rechercher les aliments alcalinisants, c'est essentiel pour la santé.
- La présence de potassium et de sorbitol rend ce fruit diurétique et laxatif.
- La tisane de queues de cerise est bien connue pour ses propriétés diurétiques.

Astuces de pro

- N'hésitez pas à les goûter avant de les acheter. Pas assez mûres ? Elles ne mûriront pas plus chez vous. Trop mûres ? C'est trop tard : rejetez les fruits de couleur terne et trop foncée, car ils pourrissent vite et contaminent leurs voisines.
- Les « nouvelles » cerises sont de plus en plus belles – mais de moins en moins savoureuses. Ne vous laissez pas leurrer par leur bel aspect brillant !
- Plus elles sont mûres et juteuses, plus leur peau est fine, plus elles seront digestes.
- Les variétés très sucrées sont parfaites à croquer ou pour les desserts. Pour les plats salés, optez plutôt pour les griottes, plus acidulées.
- Si vous voulez les dénoyauter, une cuisson courte (5 minutes maximum) facilite nettement l'opération.
- Mieux vaut en acheter souvent et par petite quantité, même si elles sont moins fragiles que d'autres petits fruits (framboises, fraises). Vous pouvez éventuellement les conserver dans le bac à légumes du réfrigérateur, mais pensez à les sortir en début de repas pour qu'elles retrouvent leur arôme.
- Dans tous les cas, attendez le dernier moment pour les rincer ! Si vous les placez quelques jours dans le bas du réfrigérateur, ne les lavez pas avant.
- Les cerises peuvent agrémenter certaines salades salées, mais juste par petites touches.
- Une salade de fruits rouges en dessert, c'est le maxi plein de vitamines, de minéraux et de composés protecteurs. L'ensemble favorise le travail rénal et la protection antioxydante.
- Version « cuites », on peut les poêler avec un peu de beurre et de cassonade. Mais aussi les pocher 5

à 10 minutes dans du vin rouge épicé (épices spécial « vin chaud »). Si vous complétez avec du pain perdu, c'est le bonheur.

- On peut poêler les cerises (sans sucre) avec un magret de canard (ajoutez une cuillère de vinaigre), un rôti de porc, une volaille, ou toute autre viande s'accordant à une préparation sucrée-salée.
- La cerise se marie admirablement au nougat, au miel, à la cannelle, aux amandes. Tiens, voilà un dessert parfait ! Nappez un yaourt onctueux avec ce mélange et dégustez.
- Il paraît qu'un vrai clafoutis n'est jamais préparé avec des cerises dénoyautées. Sur ce sujet délicat, deux écoles s'affrontent… Pour ou contre les noyaux : voilà de quoi alimenter les conversations. En tout cas, ce dessert doit rester onctueux, c'est-à-dire qu'il faut avoir la main légère sur la farine.
- On pense trop rarement aux tartes aux cerises. Alors voilà : pensons-y.

Recette spécial débutant

Miel de cerises

Du miel liquide (acacia recommandé) • Des cerises bien mûres

① Rincez bien vos cerises, faites-les sécher dans un torchon entre vos petites mains agiles et délicates.

② Remplissez un pot en verre vide de vos cerises (inutile de tasser).

③ Recouvrez-les de miel liquide.

④ Fermez le pot. Laissez 1 mois de côté, à l'abri du soleil et de la chaleur. Dans un placard, c'est parfait.

⑤ Consommez ensuite rapidement après ouverture, sur des crêpes, du fromage blanc, du yaourt…

Ça alors !
Si vous avez un mari bricoleur, empruntez-lui un marteau. Rincez des noyaux de cerise, séchez-les et écrasez-les. Pour ne pas en balancer partout, emballez d'abord vos noyaux dans un torchon et frappez dessus assez fort, sur une surface très dure. Pas la peine de tout réduire en bouillie, vous cherchez juste à concasser. Une fois brisés, mettez vos noyaux dans une gaze bien fermée puis dans une bouteille d'alcool blanc (eau-de-vie, vodka…). Au bout de quelques semaines, goûtez. Vous nous en direz des nouvelles. CONSOMMEZ AVEC MODÉRATION.

LES CHAMPIGNONS

Les principaux apports nutritionnels (pour 100 g) :

Calories = 15/100 g

Protides = jusqu'à 4 g
Fibres = jusqu'à 7 g
Fer = jusqu'à 7 mg
Potassium = jusqu'à 500 mg
Cuivre = jusqu'à 0,6 mg
Sélénium = jusqu'à 180 µg
Vitamines B1, B2, B3, B5, D = selon variété

- Protides = un bon taux pour un végétal
- Fibres = un record, surtout dans les girolles !
- Fer = un très bon taux, et correctement absorbé en plus, surtout dans les girolles
- Potassium = une bonne source
- Cuivre = surtout dans les girolles (eh oui...)
- Sélénium = hautement protecteur, surtout dans les cèpes
- Vitamine D = rare dans le monde végétal
- Vitamines B = un très bon apport

C'est la saison ! Toute l'année pour ceux de Paris, à l'automne surtout pour les autres (mais tout dépend des variétés).

Ça se conserve comment ? Le moins longtemps possible dans le bac à légumes du frigo. Surtout pas dans du plastique, plutôt dans du papier kraft. Attendez le dernier moment pour les laver.

Ça se congèle ? Il faut d'abord les laver et les sécher, puis même technique que les abricots (plateau une nuit) avant de les placer délicatement dans un sac à congélation.

Ça se mange cru ? Oui.
Cuisson conseillée ? À la poêle 4 à 10 minutes selon la variété.

CAPITAL SANTÉ

- D'une manière générale, les champignons sauvages (sylvestres) sont plus riches en nutriments que ceux de Paris.
- Ne ramassez pas ceux qui poussent dans des zones polluées (pollution chimique ou radioactive) car les champignons sont de véritables éponges qui se gorgent indifféremment du meilleur de la terre (minéraux) comme du pire (pollution chimique ou radioactive).
- Le champignon améliore la teneur protéique d'un plat.
- Arrosez systématiquement vos champignons d'un filet de jus de citron : ils ne noirciront pas et la vitamine C de l'agrume améliorera la disponibilité des minéraux du champignon.
- Le champignon est un légume à part. Comme il ne contient pas de phytates, nous absorbons beaucoup mieux son fer. Ce sont les phytates qui empêchent son assimilation dans les autres végétaux.
- On trouve surtout du cuivre dans les champignons sylvestres et notamment dans les girolles. Il améliore l'immunité et favorise l'assimilation du fer.
- Certaines variétés asiatiques, telles que le shiitaké, contiennent des substances antivirales et stimulent l'immunité. Elles pourraient même protéger de certaines formes de cancer. En outre, elles ont un effet antibactérien marqué. Leurs « antibiotiques » permettent au champignon de lutter contre les bacté-

ries susceptibles de l'assaillir dans les zones chaudes et humides où il pousse. Cultivé en France dans le Périgord sur du bois de chêne, on le trouve sous le nom de « lentin du chêne ».

- La production du champignon de Paris est fortement industrialisée et « aidée » à grands renforts de produits de synthèse. La version bio est donc conseillée. Par définition, seuls les champignons cultivés peuvent être bio. Les sauvages poussent où bon leur semble…

> ⚠ Si vous n'êtes pas un pro du champignon, évitez la cueillette. Chaque année, des empoisonnements – mortels et non mortels – sont recensés. Les toxiques ressemblent parfois à s'y méprendre aux comestibles.

Astuces de pro

- Vous avez l'habitude de les acheter extra-blancs ? Soit. Mais sachez qu'alors, ils ne sont pas encore vraiment matures. Les « vrais bons » champignons de Paris sont un peu « jaunes/beiges », signe évoquant à tort la vieillesse et l'oxydation. Pas du tout ! Ils sont au contraire meilleurs !
- Après l'achat, consommez-les très vite. Si vous devez les conserver un peu au froid, souvenez-vous qu'ils sont très sensibles à la déshydratation.
- Ne laissez pas tremper vos champignons : les minéraux s'enfuient dans l'eau.
- Rien de plus simple à préparer qu'une petite salade de champignons de Paris frais. Ôtez leur pied ou au moins retirez-en la base, rincez-les rapidement,

coupez-les en lamelles, arrosez-les de jus de citron et d'huile d'olive. Ajoutez de l'ail et du persil pour un plat haut en saveurs. Miam !

- On cuit en général tous les autres champignons, bien que ce ne soit pas une obligation. N'abusez pas des matières grasses : un petit peu d'huile d'olive, de l'ail, ça suffit. Surtout évitez les hautes températures : laissez fondre le tout à feu doux.
- Vous pouvez associer le champignon à presque tous vos plats, dont il enrichira les apports en micronutriments, sans ajouter de calories ou presque.
- Variez les plaisirs. Quoi de plus alléchant qu'une poêlée de champignons ? Pleurote, shiitaké, pied bleu, morille, coulemelle, cèpe, girolle, mousseron, trompette de la mort… tous sont délicieux.
- La truffe est un champignon à part, précieux, sublime. Il faut la manger seule, la déguster presque en fermant les yeux. Dans une salade de pommes de terre, râpée sur une tartine de pain beurré, dans une omelette. Inutile d'en attendre des bienfaits nutritionnels : on en mange si peu !

Recette spécial débutant

Champignons verts et frais

2 champignons de Paris • 20 g de fromage aux fines herbes (type Boursin) • Huile d'olive

① Préchauffez le four (très chaud).

② Rincez les champignons. Séchez-les rapidement, arrachez les pieds.

③ Mixez les pieds avec le fromage.

④ Mettez un peu d'huile d'olive sur les chapeaux des champignons, retournez-les et posez-les sur une feuille de papier alu (côté huile, donc). Remplissez-les avec la farce en tassant un peu. Enfournez pour 20 minutes.

Si vous mixez avec du thon, vous obtenez un plat complet. Dans ce cas, comptez 2 champignons de plus, sinon cela ne donne qu'une petite entrée un peu légère pour des gourmands affamés comme vous.

Ça alors !

Les champignons de Paris n'ont plus rien à voir avec Paris. Mais ça n'a pas toujours été le cas. À l'origine, ils étaient cultivés dans des carrières du XVe arrondissement.

LA CHÂTAIGNE (LE MARRON)

Calories = 180/100 g

Les principaux apports nutritionnels (pour 100 g) :

Fibres = 5 g
Vitamine E = 1,2 mg
Potassium = 600 mg
Magnésium = 45 mg
Fer = 1,3 mg

- Fibres = moyennement tolérées
- Vitamine E = un taux intéressant
- Potassium = une mine !
- Magnésium = un apport non négligeable
- Fer = un bon taux, mais il faut consommer simultanément un autre fruit ou légume, riche en vitamine C, pour mieux l'assimiler

C'est la saison ! D'octobre à décembre.

Ça se conserve comment ? À température ambiante 2 ou 3 jours, mais dans le bac à légumes du réfrigérateur si l'air est sec et chaud dans la cuisine.

Ça se congèle ? Il faut d'abord la cuire entièrement (donc la peler et la préparer comme souhaité, en purée par exemple). Puis laisser refroidir et ensuite seulement, congeler dans un récipient approprié.

Ça se mange cru ? Éventuellement (râpée sur de la salade, mais c'est indigeste !).

Cuisson conseillée ? 40 minutes à la vapeur, 20 minutes dans l'eau bouillante ou 20 minutes à la poêle.

Capital santé

- Leur composition est très particulière car les châtaignes et marrons sont des noix, mais qui n'y ressemblent pas. Ils sont en effet pauvres en graisses mais très riches en glucides (sucres) complexes, donc indiqués pour les sportifs, en cas de travail intellectuel de longue durée ou lorsqu'il fait froid. Parfait pour la saison !
- Elles contiennent une quantité adéquate de vitamine B1 qui permet l'assimilation correcte de tous leurs glucides.
- Elles sont très reminéralisantes, leur composition se rapproche plus de celle de la pomme de terre que des autres fruits.
- Les fibres sont peu digestes et imposent une cuisson totale. Même alors la digestion peut être assez lente.

Astuces de pro

- Leçon de choses : lorsque les fruits sont cloisonnés sous l'écorce, ce sont des châtaignes. Lorsqu'il n'y a qu'un fruit, c'est un marron. On utilise ce dernier pour préparer les marrons glacés. Châtaignes et marrons poussent sur le châtaigner. Le marron d'Inde n'est pas comestible ; il pousse sur le marronnier.
- On les mange très rarement crues. Les courageux peuvent en éplucher et les concasser dans la salade où elles remplacent les noisettes.
- Procurez-vous une poêle spéciale (à trous) pour les faire cuire : 20 minutes sur le feu (cheminée ou gaz) et c'est prêt ! À réserver à certaines occasions car cette cuisson n'est pas recommandée pour la santé : elle génère des produits toxiques (carbone).

- La cuisson à l'eau les rend plus tendres donc plus digestes.
- Pour les peler facilement, faites-les bouillir 3 minutes dans l'eau, où vous aurez ajouté 1 cuillère d'huile (sans goût, type tournesol).
- Les châtaignes déjà cuites et sous vide sont bien pratiques… même si elles ne seront jamais aussi parfaites que des fruits préparés à la main.
- Elles se marient particulièrement bien avec les viandes blanches et les volailles. Mais aussi avec les choux de Bruxelles ou les brocolis !
- En dessert, essayez les châtaignes précuites (sous vide, en boite ou en bocal) simplement revenues à la poêle avec un peu de beurre et de miel. C'est trop bon.
- Les produits dérivés (crèmes de marrons, marrons glacés) contiennent encore beaucoup de minéraux, mais sont très sucrés. Consommez-les avec modération.
- On trouve de la farine de châtaigne en boutique diététique : elle rehausse la saveur de toutes les préparations culinaires, surtout les desserts.

Recette spécial débutant

Choux aux marrons

1 bocal de châtaignes • 1 boîte de choux de Bruxelles • 1 barquette de lardons

① Égouttez les choux. (Les châtaignes sous vide n'ont pas besoin, bien sûr. Si elles sont en boîte, égouttez-les avec les choux).

② Dans une grande poêle, mélangez les deux et ajoutez les lardons. Laissez cuire 10 minutes Versez un peu d'eau si vous sentez que ça commence à attacher.

Ça alors !

Les châtaignes cuites et sous vide, en bocal, sont plutôt meilleures que celles qui baignent dans leur jus en boîte. Mais c'est affaire de goût personnel... en tout cas, si vous n'aimez pas la saveur « aqueuse » due à la conserve, faites-les mijoter un peu plus longtemps avec les légumes ou viandes accompagnants.

LE CHOU

Calories = 24/100 g

Les principaux apports nutritionnels (pour 100 g) :

Vitamine C = 50 à 80 mg
Bêtacarotène = 0,3 mg
Vitamine B9 = 75 µg
Vitamine E = 0,2 mg
Calcium = 60 mg
Magnésium = 15 mg
Fibres = 3,4 g
Substances soufrées = selon variétés

- Vitamine C = superbe réserve, il en reste même après la cuisson !
- Bêtacarotène = il est surtout disponible après cuisson
- Vitamine B9 = une portion (200 g) couvre 35 à 50 % des apports recommandés

- Vitamine E = une portion (200 g) couvre 35 % des apports recommandés
- Calcium = très bon apport de sécurité
- Magnésium = taux non négligeable
- Fibres = un record !
- Substances soufrées = indoles, isothionocyanates, dithiolthiones, toutes « anticancer »

C'est la saison ! Globalement, d'octobre à mai (selon les variétés disponibles).
Ça se conserve comment ? Quelques jours au frais et à l'ombre. Pour le chou-fleur : défaites les bouquets, rincez-les et rangez-les dans une boîte type Tupperware que vous placerez dans le bac à légumes, au frigo.
Ça se congèle ? Faites d'abord bouillir vos petits bouquets individuels, puis laissez refroidir et sécher. La suite, vous la connaissez : sac à congélation, congélateur.
Ça se mange cru ? Oui.
Cuisson conseillée ? 10 minutes à la vapeur (étant entendu que vous avez détaché les bouquets). C'est la cuisson la plus digeste car les substances difficiles à digérer disparaissent dans l'eau.

Capital santé

- Tous les choux sont antioxydants et bénéfiques pour la résistance immunitaire. Pensez à eux au moins une fois par semaine, et même plus en hiver.
- Ils figurent parmi les meilleures sources de calcium végétal, dont l'absorption est nettement facilitée par la haute teneur en vitamine C.
- Ils protègent de certains cancers, notamment de l'estomac, du côlon, du poumon et de la peau.
- Le chou cru calme les ulcères.

- La choucroute est un « super aliment » : composée de lanières de chou blanc fermentées durant plusieurs semaines, c'est un aliment dit « lacto-fermenté ». Cette opération casse les fibres, renforce la présence d'acides aminés et de vitamines B. Il s'y développe des bactéries, comparables à celles du yaourt, qui « prédigèrent » ce légume et colonisent amicalement notre intestin. On appelle ces gentilles bactéries « amies » les probiotiques. La choucroute est donc très digeste. C'est l'accompagnement gras qui l'est moins !
- Les choux ont la réputation d'être difficiles à digérer. On résout ce problème en les cuisant dans deux eaux (au bout de quelques minutes de cuisson, on jette la première, qui contient une grande partie des composés soufrés mal tolérés et on poursuit la cuisson dans une seconde eau ou à la vapeur) et en ajoutant quelques herbes ou épices favorisant la digestion. C'est d'ailleurs la fonction des graines de genièvre dans la fameuse choucroute.
- Le brocoli est particulièrement étudié : il peut se vanter de participer à la prévention de l'ostéoporose, de réduire le risque de cataracte, de limiter ceux de maladie cardio-vasculaire. Il est spécialement protecteur envers le cancer du côlon. Plus il est vert foncé, plus il est riche en nutriments (voir p. 136).
- D'une manière générale, les choux sont peu caloriques. Ceux de Bruxelles, plus sucrés, le sont davantage.
- La variété Romanesco est très douce et appréciée des enfants. Tant mieux : elle est si riche en nutriments qu'elle répond à leurs besoins en période de croissance.

⚠ Les choux réduisent l'absorption d'iode.
La substance soufrée, thio-2-oxazolidone (ou goîtrine), est responsable à la fois de ce mauvais tour et de la saveur caractéristique des choux. Dans certains cas de consommation vraiment très exagérée, il est possible de perturber le fonctionnement de la glande thyroïde. Si vous adorez les choux au point d'en manger plusieurs fois par semaine, pensez à augmenter de façon significative vos apports en iode (produits de la mer).

Astuces de pro

- Plus les choux sont jeunes et tendres, plus ils sont digestes.
- Quelle que soit la variété, le chou doit être dense et impeccable : ni tache, ni feuilles (ou pousses) jaunes et fripées.
- Tous les choux peuvent se manger crus, taillés en lanières accompagnées par exemple de raisins secs, noix, cubes de gruyère, petits morceaux de canard ou de poisson fumé. Mais aussi simplement en petits bouquets trempés dans du fromage blanc à l'apéritif.
- Super « truc » pour les petits choux (brocolis, romanesco…) : pochés dans l'eau bouillante, retirés alors qu'ils sont encore craquants, passés sous l'eau fraîche pour stopper la cuisson, et réchauffés dans une poêle avec un peu d'huile d'olive.
- Pour fixer la couleur du chou rouge (qui devient carmin une fois râpé), arrosez-le de vinaigre chaud.
- Mettez une biscotte dans l'eau de cuisson si vous souhaitez atténuer l'odeur du chou.

- Blanchissez les feuilles de chou avant toute préparation (chou farci, etc.) : faites-les cuire 4 minutes à l'eau bouillante. Le plat sera nettement plus digeste.
- La mique est un plat traditionnel limousin. Il s'agit d'ajouter de la mie de pain (enveloppée dans un torchon pour éviter qu'elle se délite) dans l'eau de cuisson. Elle va gonfler et, au passage, ôter de l'acidité au chou. Encore un truc pour le rendre plus digeste !
- La feuille de chou est une merveilleuse papillote pour envelopper poissons, petits légumes découpés en cubes, etc.

Recette spécial débutant

Choucroute de la mer hyperexpress

1 sachet de choucroute (au rayon frais du supermarché) • 1 pavé de colin surgelé • Poivre

① Versez la choucroute dans une casserole. Posez dessus votre poisson. Couvrez et laissez cuire 10 minutes.

② Poivrez (la choucroute est suffisamment salée).

Ça alors !

Ayez toujours un sachet de choucroute fraîche au réfrigérateur. Économique, rapide à réchauffer, longue conservation, digeste, légère, elle s'adapte à tout (saucisses, poisson, jambon…) et remplace avantageusement la sempiternelle platée de pâtes ou de riz.

LE CITRON

Calories = 26/100 g

Les principaux apports nutritionnels (pour 100 g) :

Vitamine C = 52 mg
Polyphénols = en grande quantité
Potassium = 153 mg
Calcium = 25 mg
Magnésium = 16 mg
Fer = 0,5 mg
Fibres = 2,1 g

- Vitamine C = quasi autant qu'une orange et bien plus qu'un pamplemousse ! Le jus d'un citron couvre presque la moitié de nos besoins
- Polyphénols = les flavonoïdes renforcent les vaisseaux sanguins
- Fibres douces, situées essentiellement dans la peau blanche (il n'y en a presque pas dans le jus)
- Calories = ultraléger, « remplace » sel ou gras, assaisonne et relève : un aliment essentiel pour garder la forme et maîtriser son poids

C'est la saison ! Toute l'année (la pleine saison : décembre à mai)

Ça se conserve comment ? Plusieurs semaines dans le bac à légumes, au réfrigérateur. Enveloppez-le dans du papier alu si vous voulez éviter qu'il transmette son odeur à d'autres aliments. Au contraire, laissez-le nu si vous souhaitez qu'il « désodorise » le réfrigérateur.

Ça se congèle ? Pas vraiment (et peu d'intérêt vu sa longue durée de conservation).

Ça se mange cru ? Oui, généralement sous forme de jus.

Cuisson conseillée ? Grande variété pour les recettes salées et sucrées. Mais pour profiter à fond de ses propriétés et de sa vitamine C, cuisson déconseillée.

Capital santé

- Le citron est acide, tout comme le vinaigre. Ça, vous le saviez déjà. Ce que vous ne savez peut-être pas, c'est que cette propriété permet de ralentir la digestion et de diminuer le taux de sucre dans le sang. En d'autres termes, le citron abaisse l'index glycémique d'un repas tout entier, ce qui est une excellente nouvelle pour tous les diabétiques ainsi que pour quiconque cherche à perdre du poids ou à ralentir le vieillissement.
- C'est certes un fruit acide en bouche, puisque son pH est le plus faible de tous les fruits, mais c'est aussi… l'un des moins acidifiants de tous. Il est conseillé d'en consommer un petit peu à chaque repas, pour retrouver l'équilibre acido-basique adéquat.
- Dans le zeste du citron, il y a du limonène, un composé anticancer. Pour en profiter, il suffit d'ajouter des zestes de citron dans vos plats salés ou sucrés, ou de préparer des smoothies (jus avec la totalité du fruit, pas seulement la chair). En plus, en passant vos citrons entiers dans le robot, vous bénéficierez aussi de la limonine et de la nomiline présentes dans les pépins, deux autres composés anticancer.
- Si vous achetez du jus de citron tout prêt, préférez les bouteilles en verre. Les composés anticancer du citron (précédemment cités) ont tendance à être « épongés » par le revêtement interne en cire des emballages (packs).

- Choisissez des citrons « sans traitement après récolte », surtout si vous utilisez le zeste.

Astuce de pro

- Au café, ne commandez pas de « Perrier-rondelle ». Vous ignorez si le citron utilisé a été « traité après récolte » ou non, s'il a été soigneusement lavé à l'eau tiède et au savon ou non.
- La peau (zeste) du citron est un excellent antiodeur. Jetez-en quelques lanières dans la poubelle.
- Le jus de citron est très antioxydant : mettez-en sur tous les fruits et légumes coupés, taillés ou hachés afin d'éviter qu'ils noircissent.
- Choisissez bien votre citron. Sa peau doit être jaune, parfumée, relativement fine, en tout cas lisse, sans « grumeaux ». Plus le fruit est mature, moins il est acide. Et plus il est rond, plus il est juteux (méfiez-vous des variétés oblongues si vous cherchez à obtenir beaucoup de jus).
- Pour les conserver longtemps et les garder juteux à souhait, jetez vos citrons dans un saladier rempli d'eau fraîche. Changez l'eau chaque jour en remuant les fruits dedans afin de bien les imprégner. Ils resteront pendant 3 mois aussi « frais » que si vous veniez de les acheter !
- Débarrasser la peau des résidus de pesticides est fortement recommandé avant consommation, surtout si vous utilisez le zeste. L'eau et le savon restent une bonne base. Vous pouvez aussi imbiber du papier absorbant avec de l'alcool à 90°C ou du vinaigre d'alcool et nettoyer la peau avec. Attendez ensuite quelques minutes. N'oubliez pas de rincer sous l'eau du robinet !

- Pour obtenir du jus sans presse-agrumes, commencez par couper le fruit en deux. Attaquez la chair à la fourchette, en tournant les dents en tous sens pour extraire le jus. Attention : vous allez récupérer beaucoup de pulpe.
- Comment garder une moitié de citron sans qu'elle moisisse ou s'assèche ? Posez le fruit chair contre soucoupe et recouvrez-le d'un verre. Mettez au frais.
- Une marinade facile. Le citron « cuit » le poisson à merveille. Il suffit de tailler ce dernier, cru, en fines tranches ou en cubes et de les laisser macérer dans un bain de jus de citron. Comptez 15 minutes à plusieurs heures, selon l'épaisseur du poisson et si vous aimez le goût cru ou non. Vous pouvez ajouter à cette marinade basique de l'huile d'olive et des herbes avant de mettre le plat au réfrigérateur, couvert d'un film étirable.
- Attention au mauvais voisinage. On dit que le citron liquéfie le jaune d'œuf, même à travers la coquille ! Pendant vos courses et à la maison, ne mettez donc pas les uns au contact des autres. Par ailleurs, il troque avec la pomme de terre certains de ses arômes, une propriété dont on se passerait bien : là encore, évitez de les laissez ensemble.
- Pour obtenir quelques gouttes de jus sans gâcher un fruit entier (par exemple pour parfumer une vinaigrette), lavez le citron à l'eau et au savon, rincez bien. Enfoncez une aiguille droit dans la chair, pas trop profondément afin de ne pas abîmer le fruit, puis retirez-la. Pressez le citron : les gouttes s'écoulent du trou.

- Vos raisins secs seront plus moelleux si vous les laissez tremper dans du jus de citron chaud.
- Si vous devez utiliser le zeste (peau externe, dure et colorée) pour une préparation sans sacrifier le fruit, épluchez le finement en laissant bien le zist (peau fine, blanche, entre zeste et chair), très amer, sur le fruit.
- Pour donner un petit coup de « frais » aux surgelés, vous pouvez verser dessus quelques gouttes de jus de citron en attendant la cuisson. Par exemple, si vous venez de sortir un carré de cabillaud du congélateur et que vous vous apprêtez à le cuire, offrez-lui d'abord une mini-douche au citron. Quelques gouttes suffisent !

Recette spécial débutant

Sucre parfumé au citron
1 citron • 1 bocal de sucre

① Coupez une ou deux lanières de zeste et laissez sécher.

② Quand la peau est dure, hachez-la et mettez les petits morceaux dans le sucrier.

③ Attendez quelques jours pour bien laisser le temps au sucre de s'imprégner du parfum citronné.

Ça alors !
Le citron vert possède 3 avantages majeurs : particulièrement juteux, il n'a pas de pépins et, en outre, n'a pas besoin d'être traité après récolte. On peut donc utiliser son zeste sans se préoccuper des résidus de produits chimiques. Son inconvénient : il est un peu plus amer que son cousin jaune.

LE CONCOMBRE

Les principaux apports nutritionnels (pour 100 g) :

Calories = 13/100 g

Fer = 0,3 mg
Calcium = 19 mg
Magnésium = 12 mg
Potassium = 150 mg
Eau = 96 %

- Fer = la teneur même modeste en vitamine C facilite son assimilation
- Calcium = du calcium pour aussi peu de calories, c'est une aubaine !
- Magnésium = même remarque que pour le calcium
- Potassium = une source correcte
- Eau = c'est l'un des végétaux qui en est le plus riche, alors que sa densité minérale est exceptionnelle : 6 g pour 100 calories

C'est la saison ! La « vraie » saison s'étend de février à octobre. Même si on en trouve toute l'année mainte-

nant (végétaux produits sous serres).
Ça se conserve comment ? Jusqu'à une petite semaine dans le bac à légumes du frigo.
Ça se congèle ? Non.
Ça se mange cru ? Oui.
Cuisson conseillée ? 5 minutes à la poêle, en tronçons de 3 à 4 centimètres.

CAPITAL SANTÉ

- Le concombre est très peu calorique, riche en minéraux, et en plus possède de véritables propriétés coupe-faim. Le must pour perdre du poids en restant en forme.
- Il est particulièrement reminéralisant et rafraîchissant.
- Vous le digérez mal ? Ôtez la partie centrale avec les grains et passez-le à la moulinette. Ou encore faites-le cuire légèrement, soit à la poêle et il devient un parfait légume d'accompagnement (en tronçons dans de l'huile d'olive, saupoudré d'herbes fraîches et digestives), soit quelques secondes à la vapeur. Il en ressortira tendre comme un agneau.
- Contrairement à ce que l'on croit, le concombre est plus facile à digérer s'il garde sa peau. Celle-ci contient de la pepsine, une substance qui facilite la digestion.

ASTUCES DE PRO

- Pour le choisir, c'est simple : il doit être parfait. Lisse, droit, ferme, la peau bien tendue, sans choc apparent, d'un vert foncé soutenu, uniforme et brillant.
- La vieille habitude de faire dégorger le concombre avec du sel est à perdre. C'est le meilleur moyen

de l'appauvrir en eau et en minéraux. « Avant », le concombre était amer, mais les variétés mises au point par l'INRA sont désormais toutes douces.

- Il est si peu calorique qu'il est bon de lui adjoindre des glucides (sous forme de pomme de terre ou de maïs par exemple) et des graisses (huile d'olive et de colza). Tiens, voilà une idée de salade ! Évidemment, le concombre à la crème est un peu plus discutable, mais si bon…
- S'il est archi-frais, inutile de l'éplucher. Veillez à le nettoyer consciencieusement avant préparation : sa peau, en contact permanent avec la terre, peut véhiculer des micro-organismes.
- Idée apéritif : coupez des tranches de concombre assez épaisses pour remplacer le pain des petits canapés. Posez sur ce support végétal des œufs de poisson, du tarama, du chèvre frais, une noix…
- Parfait dans les jus de légumes qu'il « allonge » de son eau et bourre de minéraux. Par exemple, glissez dans la centrifugeuse des tranches de concombre, de tomate, de carotte et de céleri. Quelques brins de menthe fraîche, et voilà un vrai délice pour les yeux et le palais.
- Le concombre revenu quelques minutes à la poêle avec des filets de poisson blanc donne un plat frais et fort peu calorique. Il adore l'huile d'olive et les épices.
- Le cornichon est une variété naine du concombre. Si vous avez la chance d'en trouver frais, préparez-le comme son grand frère. Attention : il n'aime rien ou presque. Ni la chaleur, ni la sécheresse, ni la lumière. En fait, il n'apprécie que le vinaigre ! Drôle de concombre !

Recette spécial débutant

Cocktail concombre fraîcheur/minceur
¼ de concombre • 1 tomate • 1,5 yaourt nature • Ciboulette surgelée (1 petite cuillère) • Sel, poivre

① Rincez le concombre et la tomate.

② Mixez tous les ingrédients.

③ Plantez une paille dans le verre, fermez les yeux.

Ça alors !
Les cornichons sont des mini-concombres. Confits dans le vinaigre, ce sont d'excellents produits de grignotage si l'on surveille sa ligne (17 cal/100 g, autant dire rien !). En revanche, ils sont acides et plutôt salés, donc n'en abusez pas non plus. À savoir : on prélève toujours les cornichons avec une pince en bois. Surtout pas avec les doigts, ni même en piquant directement sa fourchette dans le pot. Dans un cas comme dans l'autre, ces traitements « à la hussarde » modifient le fragile équilibre du bocal de cornichons. Vous y aviez pensé à ça ?

LA COURGETTE

Calories = 15/100 g

Les principaux apports nutritionnels (pour 100 g) :

Fibres = 1,1 g
Potassium = 230 mg
Magnésium = 23 mg
Calcium = 19 mg

- Fibres = peu nombreuses, mais bien tolérées
- Potassium = associé à la forte teneur en eau (94,5 %), il donne un légume hydratant
- Magnésium, calcium = un taux correct pour un faible apport calorique

C'est la saison ! D'avril à octobre.
Ça se conserve comment ? Entière (sans la rincer), 2 ou 3 jours au frigo.
Ça se congèle ? On la plonge d'abord 2 minutes dans l'eau bouillante puis on laisse refroidir. Enfin, on protège dans un sac congélation que l'on dispose au congélateur.
Ça se mange cru ? Oui, en carpaccio ou râpée avec d'autres crudités.
Cuisson conseillée ? En tronçons ou rondelles épaisses, 4 minutes à la vapeur ou 10 minutes à la poêle. Sauf exception, évitez la cuisson à l'eau qui lui fait perdre ses minéraux.

Capital santé

- La courgette ne présente aucun inconvénient, ce qui est déjà très bien et prouve que, malgré son nom et celui de sa famille, elle n'a rien de bête ! Il a fallu attendre le sacre de la cuisine méditerranéenne pour enfin redécouvrir cette « petite courge » jusque-là plutôt discrète. Il faut dire qu'à une époque reculée, peut-être en raison de son aspect phallique, quiconque s'en délectait était accusé d'ouvrir la porte au diable ! Pas facile de pénétrer le garde-manger des familles bien pensantes dans ces conditions... Aujourd'hui, virage à 180° : elle exhibe ses formes sur tous les étals !

- Très aqueuse (près de 95 % d'eau) et riche en potassium, elle est conseillée à tous ceux qui surveillent leur tension artérielle et/ou cherchent à « dégonfler ». Sa composition lui confère des propriétés très fortement « anti-rétention d'eau ».
- C'est un légume « minceur » parfait car elle apporte de nombreux minéraux sous un fort volume (elle prend de la place dans l'assiette). Elle est donc rassasiante. Sa très haute teneur en eau lui permet d'être cuite sans matière grasse.
- Elle contient un bon taux de vitamine C, mais cette dernière disparaît en grande partie lors de la cuisson, donc mieux vaut miser sur son apport minéral.

Astuces de pro

- Choisissez comme toujours des légumes parfaits et non agressés. Chaque « entrée » consécutive à un choc est une aubaine pour les bactéries. Les légumes fins et de petite taille sont souvent plus croquants et savoureux, tandis que les grosses courgettes peuvent être fibreuses et présenter trop de pépins.
- L'eau de la courgette s'évapore rapidement, ce n'est donc pas un légume propice au stockage.

- On peut consommer les courgettes crues à condition de les trancher en très fines lamelles (utilisez un couteau économe, comme si vous vouliez les éplucher). Ces « tagliatelles végétales » peuvent être assaisonnées avec de l'huile d'olive et les herbes que vous ajoutez habituellement à vos salades. Mais on peut aussi les incorporer au dernier moment à des « vraies » tagliatelles bien chaudes !
- Associer deux légumes complémentaires est idéal pour bénéficier de toute une palette de nutriments. Avec le poivron, la courgette trouve presque son opposé, mais elle aime aussi la tomate et l'aubergine. Vous pouvez d'ailleurs préparer une poêlée à base de tous ces légumes, à laquelle vous ajouterez un peu d'huile d'olive, d'ail et un filet de vinaigre balsamique au dernier moment.
- Choisissez des Rondes de Nice pour préparer des courgettes farcies.
- Les fleurs de courgettes sont délicieuses en beignets ou même en salade, à condition d'être très fraîches. C'est pourquoi on en trouve surtout dans le Sud de la France, en Italie et en Espagne, mais peu dans d'autres régions car on les consomme sur leur lieu de production.

Recette spécial débutant

Hot-dog végétal

1 courgette • 2 saucisses de Strasbourg • Moutarde

① Faites chauffer l'eau dans un cuit-vapeur.

② Rincez la courgette. Ne l'épluchez pas. Coupez-la en 2 dans le sens de la longueur et creusez un peu au milieu (pour ménager une place aux saucisses). Ouvrez le sachet de saucisses.

③ Une fois que l'eau bout, mettez les saucisses et la courgette dans le panier du cuit-vapeur pendant 8 à 10 minutes.

④ Présentez la courgette sur une assiette avec les saucisses bien calées au milieu. Ajoutez un peu de moutarde tout du long.

Plan B – Pas de cuit-vapeur ? Vous pouvez très bien préparer cette recette en plongeant votre courgette et vos saucisses dans une casserole d'eau, mais le résultat aura moins de « tenue » et les courgettes risquent d'être un peu trop aqueuses, même après égouttage. Essayez quand même.

Plan C – Nettement moins classe mais un vrai régal : coupez la courgette et les saucisses en fines tranches, jetez le tout dans une poêle chaude avec de l'huile d'olive et laissez cuire 8 minutes.

Ça alors !

Gardez les petites courgettes pour la salade (à faire crues) et les grosses pour les farcir. Et vous ne vous tromperez jamais en réunissant ses amis fidèles, le thym et l'ail haché. Vraiment pas compliqué, si ?

L'ÉPINARD (ET L'OSEILLE)

Calories = 18/100 g

Les principaux apports nutritionnels (pour 100 g) :

Fibres = 4 g
Potassium = 500 mg
Fer = 4 mg
Vitamine C = 50 mg
Vitamine B9 = 0,14 mg
Sélénium = 18 µg
Carotènes = 4 à 6 mg

- Fibres = nombreuses et plutôt bien tolérées
- Potassium = il participe à la régulation de la tension artérielle
- Fer = un taux correct mais Popeye aurait trouvé mieux ailleurs
- Vitamine C = elle favorise l'absorption du fer, surtout si l'épinard est cru
- Vitamine B9 = avec le fer, elle est antianémique
- Sélénium = si rare qu'il mérite mention, même si le taux n'est pas extraordinaire
- Carotènes = sa couleur verte trahit une teneur record en carotènes !

Note : les propriétés de l'oseille sont très proches de celles de l'épinard. Même qualités, mêmes défauts !

C'est la saison ! Avril-mai et octobre-novembre. Hors saison, préférez les surgelés.
Ça se conserve comment ? 1 jour à température ambiante, 2 jours dans le bac à légumes du réfrigérateur.
Ça se congèle ? On les fait d'abord blanchir (bouillir) 30 secondes, puis on les laisse refroidir et on peut les congeler selon la procédure habituelle : on les sèche bien,

on les range dans un sac adéquat, puis au congélateur.
Ça se mange cru ? Oui, surtout les jeunes feuilles.
Cuisson conseillée ? 5 à 7 minutes à l'étuvée (laisser fondre dans une casserole avec un petit peu d'eau) ou 2 minutes à la vapeur.

Capital santé

- L'épinard regorge de substances protectrices pour la santé. Il est notamment riche en lutéine, un pigment antioxydant extraordinairement important pour les yeux.
- Il participe à la prévention cardiaque et anti-cancer, ainsi qu'à la protection contre la dégénérescence de la rétine.
- Une alimentation riche en vitamine B9 est conseillée aux femmes enceintes. Et l'épinard en est l'une des meilleures sources !
- Il est déconseillé aux estomacs et aux intestins fragiles.
- Il contient de l'acide oxalique, peu recommandé si l'on est sujet aux calculs rénaux. Par ailleurs, ce même acide limite l'absorption du calcium et du fer. Les oxalates se lient au calcium et empêchent son absorption (c'est encore pire avec l'oseille).

Astuces de pro

- Les épinards sont des « éponges à nitrates » : préférez-les bio. Dans tous les cas, préparez-les et consommez-les le plus rapidement possible. Évitez de les maintenir au chaud ou de les réchauffer.
- Il faut bien rincer chaque feuille, mais sans laisser tremper. Rejetez les spécimens trop épais, jaunis ou troués.

- Ce légume rend beaucoup d'eau et perd un volume considérable à la cuisson. Veillez à ménager une évacuation (vapeur, couvercle ôté…), sinon vos épinards vont baigner dans leur jus et seront peu présentables…
- Les jeunes pousses doivent être savourées crues, en salade : un délice et une bombe de vitamines.
- Le fer des épinards est encore mieux assimilé s'ils accompagnent une viande.
- Les épinards, les avocats, les champignons, les volailles (et foies de volaille) et les œufs font bon ménage.

⚠ Conserver l'épinard cuit est déconseillée, même au réfrigérateur, car il produit des nitrites qui, dans l'organisme, empêchent l'acheminement de l'oxygène jusqu'aux cellules. C'est vraiment toxique !

Recette spécial débutant

Tartine Popeye

2 ou 3 galets d'épinards surgelés (hachés de préférence)• 1 grande tartine de pain de campagne • 1 œuf • 1 cuillère à café de crème fraîche à 8 % MG.

① Réchauffez les épinards quelques minutes dans une casserole.

② Pendant ce temps, faites cuire un œuf au plat dans une poêle.

③ Étalez les épinards sur le pain, comme si vous prépariez une tartine de petit déjeuner. Ajoutez la crème par petites touches Creusez un peu au milieu, déposez l'œuf.

Ça marche aussi avec de l'oeuf dur. Dans ce cas, coupez-le en tranches et répartissez-les harmonieusement sur leur lit vert.

Ça alors !
À la cuisson, les épinards perdent beaucoup de volume et de poids. Lorsque vous les achetez frais, prévoyez 600 g par personne. Cette quantité vous semblera démesurée, mais vous verrez fondre les feuilles comme neige au soleil dans la casserole !

LE FENOUIL

Calories = 25/100 g

Les principaux apports nutritionnels (pour 100 g) :

Fibres = 3,5 g
Carotènes = 3,7 mg
Vitamine C = 52 mg
Vitamine B9 = 0,1 mg
Vitamine E = 6 mg
Fer = 2,7 mg
Potassium = 430 mg
Calcium = 100 mg

- Fibres = elles sont douces et très bien tolérées
- Carotènes = un très bon taux, surtout pour un légume aussi peu coloré
- Vitamine C = une bonne source, qui améliore l'absorption du fer et du calcium
- Vitamine B9 = intéressant, notamment parce qu'elle accompagne le fer
- Vitamine E = un apport surprenant pour un végétal dénué de gras
- Fer = parmi les végétaux les plus riches
- Potassium = encore une excellente source
- Calcium = on l'assimile encore mieux en gratin

C'est la saison ! De fin juin à début décembre.
Ça se conserve comment ? Dans une boîte type « Tupperware », 1 semaine dans le bac à légumes du réfrigérateur.
Ça se congèle ? Pourquoi pas, on doit d'abord faire bouillir 3 minutes des tronçons de fenouil, puis on laisse refroidir, on sèche soigneusement et on place dans un sac à congélation. Direction le congélateur !
Ça se mange cru ? Oui.
Cuisson conseillée ? 8 minutes à la vapeur, puis revenu à la poêle quelques minutes.

Capital santé

- Un véritable « légume santé » trop peu consommé. Il regorge de substances antioxydantes, qui protègent notamment des maladies cardio-vasculaires et de certains cancers.
- Il favorise le transit et la digestion en général. Il s'oppose à la fermentation (gaz), soulage les crampes et douleurs intestinales. C'est un excellent

apéritif : il ouvre l'appétit. Ce sont les graines du fenouil qui possèdent ces propriétés, plutôt que le bulbe lui-même.

- Riche en vitamines B9, C et en fer, c'est le légume antianémie par excellence. Il est recommandé à toutes les femmes, notamment à celles qui sont enceintes. Il favorise la montée de lait chez les jeunes mamans.
- Ses phyto-œstrogènes imitent nos hormones féminines. C'est pourquoi il favorise la lactation, accélère l'arrivée des règles, améliore les troubles liés à la ménopause, etc.
- Il est traditionnellement conseillé en cas de douleurs rhumatismales.

Astuces de pro

- Il faut le choisir bien blanc et « propre ». Les tiges sont vertes et pas jaunâtres. Comptez un bulbe par personne. Il se conserve très bien, ce qui n'est pas si courant.
- Il faut toujours couper la base du bulbe et retirer les grosses feuilles. Mais ne les jetez pas : parfumez avec un bouillon ou un plat de légumes – vous ne les éliminerez qu'ensuite.
- On peut l'utiliser comme légume d'accompagnement, mais aussi par petites touches comme de l'oignon, tant sa saveur égaye de nombreux plats. Il est utile de le glisser dans des préparations un peu riches ou grasses, car il en améliore la digestibilité.
- Cru, en salade, il donne le maximum de ses vitamines. Associez-le à d'autres végétaux tels que les champignons. Cuit, il offre ses carotènes.
- Découpé, il cuit en moins d'un quart d'heure à la vapeur. Mais si vous le destinez à une cuisson len-

te, oubliez-le pendant près d'une heure dans une cocotte, arrosé d'un filet d'huile d'olive et, éventuellement, accompagné d'autres légumes de type méditerranéen. On peut aussi le cuire à l'eau.

- Sa saveur anisée lui permet de se transformer en ingrédient de dessert. En petite quantité dans une salade de fruit, caramélisé dans du beurre et du miel, ou même finement découpé et inséré dans une pâte à tarte, c'est tout le parfum de la Provence.

Recette spécial débutant

Salade express de fenouil

1 bulbe de fenouil • Huile d'olive • Vinaigre

① Rincez le fenouil, éliminez tout ce qui n'est pas bulbe (feuilles, tiges…), coupez-le en tranches les plus fines possible, puis en petits cubes.

② Arrosez d'un filet d'huile d'olive et de vinaigre.

Si vous en avez, vous pouvez ajoutez un peu d'aneth ou de ciboulette, fraîche ou surgelée.

Ça alors !

Rangez-le à part, au frais, dans une boîte hermétique (ou bien emballé). Sinon, il risque de communiquer sa saveur anisée à l'intégralité du réfrigérateur.

LA FIGUE

Calories = 57/100 g

Les principaux apports nutritionnels (pour 100 g) :

Fibres = 2,3 g
Potassium = 232 mg
Magnésium = 18 mg
Calcium = 60 mg
Sélénium = 0,02 mg

- Fibres = fibres + akènes (petits grains) sont les champions du transit intestinal
- Potassium = bon apport
- Magnésium = c'est toujours ça de pris
- Calcium = un apport complémentaire non négligeable (2 fruits = 7 % des apports recommandés)
- Sélénium = bonne source, surtout pour un végétal

C'est la saison ! De mi-août à mi-novembre.
Ça se conserve comment ? 4 jours à température ambiante et jusqu'à 8 jours dans une boîte type Tupperware, dans un endroit frais (évitez le frigo). Attention, surveillez bien l'évolution !
Ça se congèle ? On évite.
Ça se mange cru ? Oui.
Cuisson conseillée ? 15 minutes au four (à rôtir).

CAPITAL SANTÉ

- La figue, très colorée, est fort riche en pigments hautement protecteurs, les anthocyanes. Ils renforcent la paroi des vaisseaux sanguins.
- La pectine (fibre) aide à contrôler le taux de cholestérol. C'est aussi un coupe-faim remarquable.
- On dit que les fibres chassent en douceur les pe-

tites concrétions qui pourraient se transformer en calculs rénaux.

- Elle prévient la constipation et peut même en venir à bout. Surtout les figues sèches, qui totalisent 11 g de fibres pour 100 g, un record !
- Les figues sèches sont des mines de nutriments ; malheureusement, elles sont trop souvent bourrées de sucres. Achetez exclusivement des figues moelleuses, sans la moindre trace de farine, comme celles de Smyrnes. Vous n'en trouvez pas ? Rabattez-vous à la rigueur sur les italiennes ou les algériennes, mais délaissez de grâce les figues sèches grecques, aussi archi-sèches que les chaussettes de l'archiduchesse.

Astuces de pro

- Ne vous fiez pas à la couleur pour évaluer leur stade de maturité. Il faut toucher les fruits, ils doivent être souples.
- Ne la mettez pas au réfrigérateur, le froid agresse leur saveur délicate..
- La figue améliore l'ordinaire d'une salade. Tant que vous y êtes, ajoutez des cubes de feta et des pignons, puis arrosez le tout de jus de citron. Vous avez dans votre assiette une mine de vitamine C et de calcium. Et si vous ajoutez une bonne tranche de pain aux céréales, cela s'appelle un plat complet.
- Elle accompagne avec élégance les viandes blanches et tous les aliments que vous imaginez allant avec le pruneau. Le saumon fumé, le jambon cru, la plupart des fromages « forts » lui conviennent bien.
- En dessert, la figue se plie à la version tarte, clafoutis, semoule ou riz au lait.

- Elle remplace la pomme au four. Même mode d'emploi : posez les fruits sur le plat, glissez à four chaud ¼ d'heure, attendez, sortez-les, laissez refroidir un peu, dégustez.
- On peut la faire rôtir doucement, coupée en deux, agrémentée de muscat ou de porto, de petits sablés et de poudre d'amande. Il suffit de mélanger tous ces ingrédients, de les présenter convenablement, et la magie opèrera toute seule en un quart d'heure. Arrosez régulièrement pour éviter le dessèchement.
- Vous n'avez qu'une poêle ? Coupez vos figues en deux, déposez-les délicatement sur la surface légèrement beurrée, saupoudrez de cassonade pour laisser caraméliser et laisser cuire 5 bonnes minutes.

Recette spécial débutant

Figues Parme

2 figues • 2 à 4 tranches de jambon de Parme

① Rincez les figues et taillez-les en rondelles. Si elles sont trop mûres, coupez-les plutôt en deux, puis en deux pour obtenir 4 triangles.

② Présentez-les joliment avec le jambon roulé sur une assiette avec quelques feuilles de salade.

Ça alors !

Si vous avez la chance de tomber sur des figues blanches, rarissimes en raison de leur fragilité, achetez tout son stock au vendeur. Bienheureux !

LA FRAISE

Calories = 35/100 g

Les principaux apports nutritionnels (pour 100 g) :

Vitamine C = 77 mg
Calcium = 30 mg
Potassium = 147 mg
Acides organiques = 1,1 g

- Vitamine C = elle en contient encore plus que les oranges !
- Potassium = une bonne source
- Calcium = non négligeable, d'autant que la vitamine C améliore son absorption
- Acides organiques = ils lui confèrent son goût acidulé

C'est la saison ! Selon les variétés, de mars à octobre.
Ça se conserve comment ? 1 journée à température ambiante. En cas de force majeure, on peut les placer 24 heures au frigo mais elles y perdront probablement des « plumes »…
Ça se congèle ? Non.
Ça se mange cru ? Oui.
Cuisson conseillée ? Aucune (sauf confiture).

Capital santé

- Les fraises réunissent de nombreux composants antioxydants, notamment la vitamine C et des flavonoïdes. Ces derniers renforcent la paroi des artères et protègent la peau.
- Les fraises sont faciles à digérer et n'attaquent pas l'estomac, malgré leur saveur un peu « acide » parfois. Cependant, les propriétaires de côlon irritable

doivent s'en méfier car les petites graines (akènes) peuvent être irritantes.

- Plus on attend, moins elles contiennent de vitamine C.
- Lorsque les garriguettes, premières fraises, débarquent au printemps sur les marchés, c'est l'hystérie. Attention tout de même ! La fraise libère dans l'organisme une substance, l'histamine, capable de provoquer de simples démangeaisons mais aussi de véritables chocs allergiques. Les fruits cuits sont mieux tolérés, mais testez de toutes petites quantités si vous vous savez prédisposé.
- La fraise des bois contient un phénol appelé eugénol, substance très aromatique qui la dote à la fois de sa saveur si particulière et de vertus antiseptiques. On retrouve cette même note épicée dans la rose, le basilic et le clou de girofle.

ASTUCES DE PRO

- On ne les fait pas tremper dans l'eau, on les passe juste sous le robinet. Et encore.
- La fraise est très fragile. Achetez-la en petite quantité, si possible en barquettes (les fruits y sont moins malmenés qu'en vrac).
- Si vous en achetez trop, mieux vaut les préparer (confitures, coulis, sorbets…) que les laisser au réfrigérateur.
- Vous les servez nature ? Laissez la queue et la collerette.
- Les fraises adorent les salades salées, sucrées et sucrées-salées. Elles se marient très bien avec les crevettes, les avocats, la menthe, la mâche, le canard, les baies et tous les autres fruits. Le top du

mélange : avec des fraises des bois, quasiment impossibles à trouver sur les marchés mais faciles à faire pousser chez soi ! Celles qui sont vendues en barquettes sous l'appellation « fraises des bois » sont en fait des fraises dites « des 4 saisons ».

- Une soupe de fraises, c'est une bombe de vitamines et de saveurs : laissez tremper vos fruits dans du jus d'orange (ou dans du thé pour une version allégée, ou encore dans du vin rouge + épices à vin chaud). N'ajoutez pas de sucre, mais un tour ou deux de moulin à poivre. Plongez une gousse de vanille fendue au milieu. Décorez avec quelques feuilles de menthe fraîche. Patientez pendant quelques heures. Au moment de servir, vous pouvez ajouter une boule de sorbet framboise, histoire de brouiller les pistes…
- Des chips de fraise, c'est tout de même plus original que des petits fours avec le café ! Avec un couteau économe, découpez des lamelles de fraises et laissez-les sécher pendant plusieurs heures à four très doux (pourquoi pas avec des grains de raisin ? voir p. 238).
- Bien sûr, on peut les faire gratiner un peu au four pendant quelques secondes après les avoir saupoudrées de sucre, ou encore préparer un gratin express de fruits rouges. Mais les fraises sont décidément tellement parfaites que moins on les apprête, meilleures elles sont.

Recette spécial débutant

Fraises martiniquaises
10 fraises • 1 banane • 5 gouttes de rhum

① Rincez et équeutez les fraises. Coupez-les en rondelles si elles sont grosses, en deux si elles sont moyennes.

② Taillez la banane épluchée en rondelles. Mélangez le tout, ajoutez un peu de rhum.

Ça alors !
La fraise n'est pas vraiment un fruit ! C'est une partie de la fleur, le réceptacle floral qui a enflé ! Les fruits sont les akènes, petits grains jaunâtres disséminés sur la chair...

LA FRAMBOISE

Calories = 38/100 g

Les principaux apports nutritionnels (pour 100 g) :

Fibres = 7 g
Fer = 0,7 mg
Vitamine C = 25 mg
Calcium = 22 mg

- Fibres = il y en a une petite montagne !
- Fer = l'un des fruits les plus riches. La vitamine C améliore son absorption.
- Vitamine C = elle est protégée par le pH acide des framboises
- Calcium = un apport non négligeable

C'est la saison ! Tout l'été.

Ça se conserve comment ? Elles sont encore plus fragiles que les fraises ! On les consomme dans les heures qui suivent l'achat.

Ça se congèle ? Éventuellement telles quelles ou en coulis. Mais c'est moins bon…

Ça se mange cru ? Oui.

Cuisson conseillée ? Aucune.

Capital santé

- C'est sa richesse en fibres qui hisse la framboise sur l'autel des fruits sacrifiés pour notre santé.
- Son fort taux d'acides organiques (que l'on devine au goût acidulé) aide à rééquilibrer le pH de notre milieu interne.
- Les intestins fragiles ne supportent pas les petites graines. Ils préfèrent accueillir seulement du coulis de framboise : les grains ont disparu et, avec eux, la majorité des fibres « agressives ». Il reste la pectine, une fibre douce et bien tolérée.
- Les enfants les adorent et tant mieux : pas de noyaux, pas de peau à éplucher, aucun risque d'étouffement, allergies rarissimes…
- Comme toutes les baies, les framboises concentrent de nombreux antioxydants et ce pour un apport calorique très modeste. Maxi-protection pour mini-kilos.
- Sa richesse en fer la place au rang des incontournables aliments des végétariens.

Astuces de pro

- On ne les lave pas, sinon elles perdent leur parfum. On ne les rince pas non plus. Nature, on vous dit !
- On ne cuit pas les framboises. Tout au plus peut-on les passer une ou deux minutes à la poêle beurrée en les saupoudrant de sucre. Les gourmands les ont déjà forcément trempées dans du chocolat fondu…
- Version Stendhal : des framboises bien rouges sur une assiette bien noire. Entourez-les d'une corolle de fraises. Et si le blanc vous manque, ajoutez un peu de fromage blanc au milieu.
- Comme elles se mangent toujours crues, elles enrichissent en vitamine C tout ce qu'elles touchent : tartes, salades de fruits, compotes, etc.
- A tester : le jus de framboise allongé d'eau pétillante. Une framboise congelée jouera le rôle de glaçon. Elles se marient divinement avec le champagne !
- Magique : une tarte aux fruits d'été. La pâte est cuite, vous pouvez disposer sur toute sa surface des framboises, des fraises, des mûres, du cassis, des grosses cerises sucrées et dénoyautées. Saupoudrez le tout d'une discrète cassonade, passez au four quelques minutes. La vraie classe : quelques feuilles d'estragon ciselées au dernier moment et parsemées sur le chef-d'œuvre.

Recette spécial débutant

Framboises au raisin

1 barquette de framboises • 1 grappe de raisin blanc • 1 filet de jus de citron

① Rincez le raisin et détachez les grains un par un.

② Mélangez délicatement framboises et raisin. Ajoutez le jus de citron. Brassez très doucement.

Ça alors !
Hors saison, ne comptez pas trop sur les framboises surgelées. Sauf en coulis, parfait pour napper une boule de glace vanille, un yaourt ou du fromage blanc.

LE HARICOT VERT

Calories = 30/100 g

Les principaux apports nutritionnels (pour 100 g) :

Fibres = 3 g	Fer = 1 mg
Protéines = 2,4 g	Vitamine C = 16 mg
Potassium = 243 mg	Vitamine E = 0,24 mg
Calcium = 56 mg	Carotènes = 0,34 mg

- Fibres = elles sont rassasiantes
- Protéines = cuit, il n'en reste plus que 1,5 g mais c'est encore étonnant pour un légume
- Minéraux = une très bonne source pour un apport calorique très modéré
- Vitamine C = un taux correct, mais en le renforçant d'un filet de citron, au augmente l'assimilation du calcium et du fer
- Vitamine E = mérite d'être mentionnée
- Carotènes = un bon apport

C'est la saison ! De juin à octobre.
Ça se conserve comment ? Dans le bac à légumes du frigo pendant 2 jours, maximum 3. Mais pas dans un sac plastique fermé !
Ça se congèle ? On peut les congeler tels quels (après les avoir soigneusement lavés et séchés). Mais le mieux est tout de même de les blanchir, c'est-à-dire de les faire bouillir 3 minutes avant de les laisser refroidir et de les congeler. Comme ça ils resteront bien verts !
Ça se mange cru ? Non.
Cuisson conseillée ? 5 à 7 minutes à la vapeur ou 10 minutes dans l'eau bouillante.

CAPITAL SANTÉ

- Le haricot vert apporte toute une palette de vitamines et de minéraux sans être pour autant particulièrement riche en l'un ou en l'autre. En revanche, il est absolument sans défaut, ce qui est rare pour un aliment, même végétal !
- Ses fibres sont extra-douces. Même les très jeunes enfants les tolèrent.

ASTUCES DE PRO

- Plus ils sont longs et fins, moins ils contiennent de fils, ce qui est le cas en début de saison. Puis, le grain grossit et les fils apparaissent. Profitez des tendres haricots du début ! Ils doivent être bien verts et fermes. Si, lorsqu'on les casse, une goutte d'eau s'échappe, ils sont vraiment extra-frais.
- Les haricots mange-tout portent bien leur nom puisque, chez eux, tout se mange. Ils sont verts ou jaunes et, dans ce derniers cas, ils s'appellent « haricots beurre ». Jaunes comme du beurre, ils sont

tendres et dénués de fils. C'est pour ça qu'il y en a souvent dans les cantines !

- Ils se conservent de préférence au réfrigérateur, sinon ils se dessèchent et deviennent mous.
- Mieux vaut équeuter les haricots à la main, car s'il y a un fil, on l'ôte d'un seul geste. Avec le couteau, on ne sent rien.
- La cuisson est rapide : 5 à 7 minutes à la vapeur, guère plus dans l'eau bouillante. Dans ce dernier cas, passez-les ensuite sous l'eau froide et égouttez aussitôt. La tendance « haricot vert al dente » voire presque cru s'estompe enfin pour rendre à ce noble légume sa cuisson à point. C'est comme ça qu'il est bon et digeste. Ça n'empêche pas qu'il soit croquant !
- Les salades accueillent des haricots verts froids ou tièdes, qui se marient avec tout. Par exemple avec des champignons de Paris (crus), des amandes grillées et une tranche de bon pâté ou, même, de foie gras. Plus simple ? Avec des pignons, du parmesan, de la tomate, des cubes de concombre. Et bien sûr, de l'huile d'olive et du vinaigre balsamique.
- Les haricots vert vapeur accompagnés de tomates revenues à la poêle dans l'huile d'olive et l'ail ressemblent à un accompagnement parfait tant ce plat est riche en antioxydants et en composés protecteurs.
- Tentez la crème de haricots verts, très fine et originale. Une fois cuits, il suffit de les mixer dans un bouillon et d'y ajouter un peu d'huile d'olive ainsi que de la crème légère. Et pourquoi pas des haricots blancs ou des pétoncles ? Quelques croûtons : le paradis !

Recette spécial débutant

Haricots aux amandes
1 poignée de haricots verts • 1 cuillère à soupe d'amandes effilées • 1 filet d'huile d'olive • Sel, poivre

① Rincez les haricots verts et égouttez-les. Jetez-les dans une grande quantité d'eau bouillante et très salée (pas d'inquiétude : ils absorbent très peu de sel, c'est juste pour les garder croquants et bien verts).

② Après 10 minutes de cuisson, égouttez-les, arrosez-les d'huile d'olive et répartissez les amandes dessus. Mélangez. Salez, poivrez.

Ça alors !
Les « fils » si redoutés correspondent au durcissement de la cellulose des haricots. Le processus commence dès la cueillette et se poursuit à mesure que les jours passent. Autrement dit, les haricots verts « à fils » ne sont pas de toute première jeunesse…

LE KIWI

Les principaux apports nutritionnels (en mg pour 100 g) :
Vitamine C = 80 Vitamine E = 3
Fibres = 2,5 g

Calories = 47/100 g

- Vitamine C = palme d'or !
- Fibres = un bon apport de fibres douces, surtout si cuites
- Vitamine E = un très bon taux, rare pour un végétal

C'est la saison ! De novembre à avril.
Ça se conserve comment ? De 1 jour à… 3 semaines dans le bac à légumes du frigo.
Ça se congèle ? Pourquoi pas, mais pas entier ! Il faut d'abord l'éplucher et le tailler en rondelles. Puis cap sur la boîte en plastique spéciale « congélation ».
Ça se mange cru ? Oui.
Cuisson conseillée ? Aucune ou à la rigueur au four (mais il perd sa saveur acidulée).

CAPITAL SANTÉ

- C'est le fruit qui totalise la plus haute densité nutritionnelle, c'est-à-dire qu'à valeur calorique égale, il apporte un maximum de vitamines et minéraux.
- Un ou deux kiwis par jour en hiver, c'est l'assurance d'une bonne couverture des besoins vitaminiques nécessaires en cette saison.
- Il peut provoquer des allergies ou de simples intolérances. Si vous le digérez mal, consommez-le en dehors des repas.

Astuce de pro

- Votre kiwi est mûr à point si ses extrémités sont souples.
- Il ne supporte ni les chocs, ni la chaleur.
- Ne le placez pas près de pommes ou de bananes, sauf si vous souhaitez accélérer son mûrissement.
- La meilleure façon de déguster le kiwi est aussi la plus simple : à la coque ! Coupez-le en deux et plongez une petite cuillère dedans.
- Il est judicieux d'accompagner vos poissons fumés (truite, saumon) d'une salade et de kiwis, ainsi que d'autre végétaux riches en vitamine C. Cette dernière modifie la forme chimique du fer contenu dans le poisson afin de la rendre assimilable (le fer du poisson ne l'est pas naturellement).
- Les gratins de kiwi remplacent ceux de fruits rouges en hiver.

Recette spécial débutant

Poulet au kiwi

1 blanc de poulet • 1 kiwi • Huile d'olive • Sel, poivre

① Chauffez une poêle, versez-y un filet d'huile d'olive. Jetez-y la viande coupée en lanières et le kiwi épluché et taillé en rondelles.

② Laissez cuire 10 minutes.

③ Salez, poivrez, servez !

LA MÂCHE

Calories = 36/100 g

Les principaux apports nutritionnels (pour 100 g) :

Carotènes = 4250 µg
Vitamine C = 38 mg
Calcium = 38 mg
Fibres = 1,7 g
Vitamine B9 = 0,16 mg
Fer = 2,2 mg

- Carotènes = Elle en contient plusieurs variétés
- Vitamine C = une bonne source, surtout si elle reste crue
- Calcium = un taux non négligeable
- Fibres = douces, et encore plus si la mâche est braisée
- Vitamine B9 = très bonne source
- Fer = la bonne teneur en vitamine C facilite son assimilation

C'est la saison ! De mi-octobre à mai.
Ça se conserve comment ? 2 jours maxi dans sa barquette, au réfrigérateur.
Ça se congèle ? Non.
Ça se mange cru ? Oui.
Cuisson conseillée ? Quelques minutes à l'étuvée dans une casserole avec un peu d'huile d'olive.

Capital santé

- Voici le seul légume autorisé à arborer fièrement la mention « Naturellement riche en oméga 3 » sur son emballage. Et c'est vrai ! 100 g de mâche apportent tout de même 12 % des apports journaliers recommandés en oméga 3, et pour seulement 14 calories !

- La mâche, c'est LA salade de la femme enceinte : riche en vitamine B9 (bon développement du bébé), vitamine C (tonus), fer (antianémie, améliorant l'immunité), calcium (squelette), carotènes (croissance) et fibres (transit intestinal) !
- Sa composition équilibrée et antioxydante en fait un bon « placement » antiâge.
- C'est l'un des légumes les plus pauvres en sodium (sel) ; elle convient donc aux personnes soumises à un régime sans sel très strict.

Astuces de pro

- Ne la faites pas tremper, elle ne contient pas de sable (sauf si vous l'achetez en vrac). La mâche est rincée avant d'être emballée dans sa barquette. Passez-la juste rapidement sous l'eau. Cela évite les pertes en vitamines.
- Elle est très fragile : consommez-la rapidement. Vous pouvez la conserver 2 jours au frais dans sa barquette perforée.
- On la surnomme « la doucette » et c'est justifié : tout le monde l'aime, même les enfants.
- Un simple filet d'huile d'olive et/ou de noix ainsi que quelques cerneaux de noix en font une salade gourmande et riche en acides gras protecteurs pour le cerveau et le cœur. Vous pouvez simplement rajouter un œuf dur pour obtenir un petit plat rapide.
- On peut la cuire : elle perd une partie de sa vitamine C, mais ses carotènes sont alors plus faciles à assimiler. Seule, c'est un accompagnement original ; liée à d'autres légumes (potage, purée) elle améliore la densité nutritionnelle du plat en apportant du fer, des carotènes et du calcium. Le plus simple :

fondue dans de l'huile d'olive pendant quelques minutes au fond d'une casserole. Relevez avec de la muscade et servez avec un poisson.

- Certains chefs la proposent en dessert. Elle est alors légèrement caramélisée, accompagnée d'orange et d'une boule de glace à la vanille saupoudrée de cannelle. Bof…

Recette spécial débutant

Salade de mâche chaud/froid qui croustille

1 barquette de mâche • 1 sachet de croûtons • 1 œuf • Huile d'olive, vinaigre • Sel, poivre

① Faites cuire l'œuf mollet dans de l'eau pendant 6 à 8 minutes (plus que pour un coque, moins que pour un dur).

② Mettez une grosse poignée de mâche dans un saladier. Ajoutez des croûtons (pas tout le sachet !). Huile d'olive, vinaigre, sel, poivre.

③ Lorsque l'œuf est cuit, écalez-le et posez-le délicatement, entier, dans la salade. Quand vous allez le percer, le jaune va couler, ce sera grandiose.

Ça alors !

La mâche à petites feuilles est généralement meilleure que celle qui étale ses grosses feuilles de façon un peu trop ostensible. Ne vous trompez pas de variété !

LA MANGUE

Calories = 60/100 g

Les principaux apports nutritionnels (pour 100 g) :

Fibres = 1,9 g
Vitamine C = 44 mg
Vitamine E = 0,8 mg
Bêtacarotène = 3 mg

- Fibres = pas très nombreuses mais digestes
- Vitamine C = une exceptionnelle richesse
- Vitamine E = une bonne teneur
- Bêtacarotène = un demi-fruit couvre les besoins quotidiens !

C'est la saison ! Toute l'année selon les variétés. Mais de mars à juin ce sont les meilleures.
Ça se conserve comment ? Jusqu'à 4 jours à température ambiante.
Ça se congèle ? Il faut d'abord la découper en cubes ou en lamelles que l'on range ensuite dans une boîte spéciale « congélation ».
Ça se mange cru ? Oui.
Cuisson conseillée ? Déconseillée.

CAPITAL SANTÉ

- Comme la plupart des fruits exotiques, la mangue est « gonflée » en éléments antioxydants. C'est que sous les contrées très chaudes et ensoleillées, les fruits bénéficient d'un « équipement » protecteur ultraperformant sinon ils brûleraient. Elle apporte 2 fois plus de bêtacarotène que l'abricot, pourtant une référence en la matière !
- La mangue est particulièrement recommandée aux

personnes âgées, à celles soumises à tout type de pollution ainsi qu'aux fumeurs. Elle est également propice à une bonne croissance.

- Elle est bienvenue en cas de pratique sportive soutenue qui augmente les besoins en antioxydants.
- Elle améliore l'immunité.
- Elle participerait à la prévention du cancer de l'utérus grâce à sa cryptoxanthine (un antioxydant).
- C'est un véritable protecteur interne de la peau : faites une cure avant votre départ en vacances si vous comptez vous exposer au soleil.
- Elle aide à prévenir l'anémie car sa richesse en vitamine C et en carotènes améliore l'absorption de son fer.
- Les intestins fragiles ne l'apprécient que bien mûre.

Astuces de pro

- La couleur de la peau n'a aucun rapport avec le stade de maturité. Le fruit peut être totalement vert et absolument délicieux. Mais souvent, on distingue la face qui était exposée au soleil : elle est plus rose, c'est elle qu'il faut toucher pour vérifier la souplesse.
- Plus sa chair est orange, plus elle contient de carotènes protecteurs. Choisissez-la mûre, c'est-à-dire à la texture souple (pas molle). Sinon, laissez-la mûrir à température ambiante. Surtout pas au réfrigérateur !
- Lorsqu'elle est mûre, elle n'attend pas. Dès qu'elle dégage des effluves de térébenthine, c'est trop tard…
- Dans une salade de fruits, elle apporte une note

exotique appréciée et rehausse la teneur vitaminique globale.

- Découpée en cubes, vous pouvez la faire rapidement revenir à la poêle dans un peu de beurre. La chaleur améliore l'assimilation du bêtacarotène.
- En lamelles, elle entre dans la préparation de toutes les salades, accompagne de nombreux plats salés (fruits de mer, crustacés, canard ou riz notamment) et couvre élégamment une pâte à tarte feuilletée et cuite.
- Un jus de mangue : rien de plus simple, il suffit de mixer la pulpe pendant 2 minutes. A déguster tel quel si on aime les boissons épaisses et onctueuses, sinon allonger d'eau.

Recette spécial débutant

Salade mangue coco

1 barquette de cubes de mangues • 1 sachet de noix de coco râpée • 1 trait de jus de citron

① Étalez les morceaux de fruits dans une assiette creuse. Si vous aimez qu'ils baignent dans un peu de jus, versez un trait de citron sur la mangue. Saupoudrez généreusement de noix de coco râpée.

② Laissez cette dernière se réhydrater au contact du fruit le temps de manger votre repas.

Faut-il préciser que vous pouvez ajouter n'importe quel autre fruit, grains de raisin, rondelles de banane, quartiers de pêche… ?

Ça alors !
La mangue a 4 000 ans ! Rien de nouveau sous le soleil, donc… Avant de la découper, pensez à la laver (eau + savon) : la lame risquerait, sinon, de transmettre à la chair quelques bactéries ou pesticides présents sur la peau.

LE MELON

Calories = 34/100 g

Les principaux apports nutritionnels (pour 100 g) :

Potassium = 320 mg	Bêtacarotène = 2 mg
Vitamine C = 25 mg	Nombreux minéraux

- Potassium = un taux intéressant, qui autorise l'association avec un aliment salé (jambon cru ou haddock)
- Vitamine C = un taux acceptable, d'autant qu'on consomme en général le melon cru
- Caroténoïdes = une référence, autant que l'abricot !
- Minéraux = un bon éventail, qui lui confère des vertus plutôt diurétiques et laxatives

C'est la saison ! De juin à août.
Ça se conserve comment ? Jusqu'à une petite semaine (selon mûrissement lors de l'achat) entouré d'un torchon et rangé dans le bac à légumes du frigo. Laissez-le à l'air ambiant si vous voulez accélérer sa maturité.
Ça se congèle ? On le prépare d'abord : purée, billes, cubes, lamelles… puis on le place dans un récipient approprié (boîte pour la pulpe, sac pour les morceaux).

Ça se mange cru ? Oui.
Cuisson conseillée ? Aucune, sauf rapidement poêlé ou si confiture/marmelade

Capital santé

- Plus la teinte de la chair est foncée, plus il contient de provitamine A (bêtacarotène). Les melons de Cavaillon ou les charentais brodés en apportent beaucoup, ceux à chair jaune ou verte nettement moins. Comme tous les végétaux riches en bêtacarotène, le melon participe activement à notre protection antioxydante et anti-cancer.
- Malgré son goût très sucré, il n'apporte pas tant de sucre que cela, d'autant que si l'on se réfère à la stricte définition botanique, il s'agit d'un légume et non d'un fruit. Sa saveur très douce est en fait liée à son très faible taux d'acidité.
- Le melon n'est pas toujours bien toléré. C'est qu'il est exclusif : il ne supporte ni la concurrence (autres fruits) ni l'eau. Si vous avez du fil (digestif) à retordre, consommez-le à température ambiante (surtout pas froid), seul ou en entrée (pas en dessert), et évitez de trop boire au même repas.
- Plus il est mûr, plus il est sucré, plus il est digeste.
- Il pourrait avoir une activité anticoagulante, et donc protéger de l'infarctus.

Astuces de pro

- Impossible d'établir des critères infaillibles entre l'aspect extérieur d'un melon et son intérêt gustatif… Cependant, il faut absolument éviter les melons fendus (la cause est souvent une variation de température ou la sécheresse) ainsi que ceux qui comportent des taches ou des couleurs irrégulières. Au toucher, ils ne doivent pas être mous ni trop légers. Le pédoncule se détache bien – sinon, c'est un melon de serre. Si sa peau est craquelée et ourlée, comme de la dentelle, c'est le signe d'une maturité parfaite. N'hésitez pas, il est pour vous !

- L'odeur n'est pas très fiable, car la peau peut être odorante même si l'intérieur est trop mûr ou pas assez. Mais c'est quand même un indice. Aucune fragrance ne vient exciter vos narines ? Le fruit ne sera probablement pas bon.
- Un melon cueilli trop tôt n'aura jamais d'arôme parce que son taux de sucre se constitue durant les tout derniers jours. Oubliez.
- Pourquoi s'obstiner à servir du melon frais voire glacé ? Mystère : il devient indigeste et le froid tue sa saveur.
- Si vous avez des invités, c'est une faute de goût de leur servir du melon sans l'avoir goûté au préalable.
- Le melon fait bon ménage avec les crustacés ! Des langoustines chaudes accompagnées de tranches de melon, ou un melon farci au crabe sont de grands moments de subtilités gustatives.
- Attention à la cuisson, on bascule vite du melon tiédi et parfait à la chair trop ramollie. Vous pouvez tenter d'en cuire quelques cubes en papillote avec une tranche de bacon, mais entraînez-vous d'abord avec ce dessert simplissime : coupez en deux un melon (ou, mieux, des tranches), saupoudrez-les de sucre et passez-les à la poêle ou au four, juste le temps de caraméliser. Facile et classe !
- Le melon se prête assez peu aux préparations de

type compote ou confiture qui lui confisquent une partie de son âme (saveur, croquant, etc.). Nous le préférons résolument basique. En revanche, les desserts froids lui conviennent mieux. Un sorbet au melon peut être divin.

Recette spécial débutant

Coque de melon en fruits rouges

1 melon • 1 barquette de fruits rouges (au choix, avec une préférence pour les framboises) • Cannelle en poudre

① Coupez le melon en deux dans le sens horizontal (il doit bien tenir sur ses bases).

② Retirez les pépins à l'aide d'une grande cuillère.

③ Remplissez le melon de fruits rouges. Saupoudrez le pourtour de cannelle. Servez immédiatement.

Plan B – En hiver, rien n'empêche de préparer des coupes de billes de melon avec des fruits rouges surgelés. Le résultat n'est pas exactement identique, mais ça « marche » quand même.

Ça alors !

Plus longtemps le melon garde ses pépins, plus il est savoureux. Par conséquent, évitez de le préparer trop longtemps à l'avance. À la rigueur, coupez-le en deux, mais attendez le dernier moment pour le vider.

LA MYRTILLE

(ET AUTRE BAIES NOIRES)

Calories = 16/100 g

Les principaux apports nutritionnels (pour 100 g) :

Fibres = 3 g
Vitamine C = 20 mg
Vitamine E = 2,1 mg
Anthocyanes

- Fibres = elles stimulent le transit intestinal
- Vitamine C = un apport conséquent
- Vitamine E = un très bon score
- Anthocyanes = ces pigments violets sont fortement antioxydants, anti-inflammatoires et anti-infectieux

C'est la saison ! Tout l'été !
Ça se conserve comment ? Quelques jours à peine dans sa barquette, placée au réfrigérateur.
Ça se congèle ? On évite.
Ça se mange cru ? Oui.
Cuisson conseillée ? 2 minutes à la poêle.

CAPITAL SANTÉ

- La myrtille protège les yeux. Elle améliore notamment la vision nocturne.
- Tout comme les airelles, elle contient des composants qui luttent contre les infections urinaires. Il est conseillé d'en consommer toute l'année, en prévention, si l'on a tendance à souffrir de cystite. ½ verre de jus par jour suffit à empêcher la bactérie responsable (*Escherichia coli*) de se fixer sur les parois de la vessie. Ne rajoutez pas de sucre.

- Comme la plupart des baies foncées, la myrtille regorge d'antioxydants. Ses flavonoïdes améliorent la circulation et renforcent les petits vaisseaux capillaires. Elle est recommandée en cas de troubles de la circulation et de diabète.
- Si ses fibres préviennent la constipation, ses tanins (les catéchines) sont au contraire antidiarrhéiques. Au total, ce fruit est un régulateur intestinal, quel que soit votre problème. Elle contient aussi un sucre, le sorbitol, qui stimule la vésicule biliaire.
- Le myrtillier est très peu traité, ses fruits sont donc exempts ou presque de pesticides.
- Les myrtilles peuvent provoquer des allergies qui se manifestent alors par des paupières et des lèvres gonflées ainsi que par des démangeaisons.

Et les autres baies ?

Les **airelles** s'opposent, de plus, à la formation des calculs rénaux.
Le **cassis** contient 4 fois plus de vitamine C que l'orange. C'est le fruit le plus riche !
La **mûre** sauvage regorge de carotènes. Cueillez-la en chemin, mais pas trop près du sol car il y a un petit risque d'attraper une maladie véhiculée par l'urine de renard.

Astuces de pro

- Les myrtilles françaises sont cueillies à la main : elles se conservent très longtemps. Ce n'est pas le cas des fruits importés, ramassés à la machine (donc abîmés), malmenés. Pire : souvent ces baies plus grosses que nos admirables limousines et autres vosgiennes, sont désespérément insipides. Soyez vigilant !

- La fine pellicule blanche qui les recouvre parfois est naturelle. C'est même très bon signe.
- La confiture de myrtilles est aussi sucrée qu'une autre, mais elle est riche en pigments protecteurs.
- Elles sont délicieuses à croquer, mais on peut aussi les passer à la poêle avec un peu de beurre et de miel pendant 2 minutes. À condition de ne pas dépasser ce temps de cuisson, les myrtilles conservent leurs atouts nutritionnels.

Recette spécial débutant

Myrtilles à la vanille
1 barquette de myrtilles • 2 boules de glace vanille

① Rincez les myrtilles si la barquette semble renfermer des petits morceaux de feuilles ou autres.

② Disposez 2 boules de glace vanille dans une coupe. Recouvrez de myrtilles.

Ça alors !
Qui dit montagnes dit myrtilles et tarte aux myrtilles, d'accord. Mais ces petits fruits sont assez souples pour faire le grand écart : les brimbelles des Vosges se marient parfaitement avec un filet de bon Bordeaux... Vive les rencontres de terroirs !

LA NOIX

Calories = 660/100 g 525 si fraîches

Les principaux apports nutritionnels (pour 100 g) :

Fibres = 5,5 g
Calcium = 61 mg
Potassium = 690 mg
Magnésium = 130 mg
Zinc = 3 mg
Fer = 2,4 mg
Cuivre = 2,31 mg
Soufre = 100 mg
Sélénium = 5,3 µg
Acides gras = 51,5 g
Vitamine B6 = 0,73 mg
Vitamine E = 7 mg

- Fibres = anticholestérol, surtout associées au « bon » gras des noix
- Calcium = non négligeable
- Potassium = un taux record !
- Magnésium = très bon apport
- Zinc = un des rares végétaux à en contenir
- Fer = un taux très correct. Consommer d'autres fruits et légumes frais, riches en vitamine C, pour améliorer son assimilation
- Cuivre = un des rares végétaux à en contenir
- Soufre = un élément hautement protecteur
- Sélénium = encore un antioxydant majeur
- Acides gras = 80 % des graisses sont insaturées, donc protectrices pour le cœur. Et plein d'oméga 3 !
- Vitamine B6 = un des rares végétaux à en contenir
- Vitamine E = encore un taux absolument record !

C'est la saison ! D'octobre à janvier (un peu avant, de mi-septembre à mi-octobre, pour les noix fraîches).

Ça se conserve comment ? Plusieurs semaines à température ambiante, dans un endroit plutôt frais et, surtout, sec. Attention : les noix fraîches se consomment rapidement (et ne se conservent que quelques jours au réfrigérateur) sinon elles risquent de moisir.
Ça se congèle ? Non.
Ça se mange cru ? Oui.
Cuisson conseillée ? Déconseillée d'une manière générale.

CAPITAL SANTÉ

- À l'évidence, la noix est un aliment exceptionnellement riche en éléments extrêmement protecteurs, notamment pour le cœur. Aux « bons » gras et aux fibres (qui font baisser le taux de cholestérol) s'ajoute la vitamine E (qui s'oppose aux radicaux libres). Mais on trouve aussi dans ses protéines un acide aminé spécifique, l'arginine, spécialement impliqué dans la souplesse des artères. Un vrai rêve ! À alimentation égale, si l'on mange des noix EN PLUS, la tension artérielle et le taux de graisses (y compris de cholestérol) dans le sang diminuent.
- Les noix sont très riches en protéines, mais ces dernières sont moins bien assimilées que des protéines animales. Leur profil est cependant intéressant et elles les complètent bien. Revers de la médaille : les noix peuvent déclencher une allergie, surtout la variété du Brésil.
- Elles sont recommandées aux personnes qui souffrent d'inflammations (peau, articulations...).
- Elles protègeraient du cancer grâce à une substance appelée « anti-protéase ».
- Elles sont conseillées aux personnes qui n'ont pas

très faim ainsi qu'aux convalescents, du fait de leur haute teneur en nutriments.

- Évitez-les si vous êtes sujet aux aphtes.
- Les noix fraîches sont un peu plus riches en eau (10 %) que les sèches (3 %), donc mathématiquement un peu moins caloriques.
- Les noix exotiques (pécan, macadamia, cajou, Brésil) sont aussi très protectrices. Certaines contiennent encore plus de magnésium (pécan). On les trouve encore rarement sur les marchés, mais facilement en sachet, donc déjà décortiquées, en grandes surfaces et épiceries.

Astuces de pro

- La noix fraîche est fragile. Conservez-la sur une surface aérée, à l'air libre dans une pièce fraîche (cellier), sinon au réfrigérateur.
- La noix française est la meilleure du monde. Et la noix de Grenoble est la meilleure des meilleures…
- Évitez les noix trop « propres ». Lorsqu'elles sont « lavées », il y a des chances que ce soit à l'aide d'une solution chlorée.
- Lorsque les noix sont encore décorées de « fils noirs », telles de douces griffures, c'est le signe d'une exceptionnelle fraîcheur. Même si elles paraissent plus « sales », elles seront sublimes !
- La consommation quotidienne idéale serait de 5 noix par jour pour bénéficier des apports optimaux en acides gras protecteurs. Grignotez-les en fin de repas ou incorporez-les aux salades ou à d'autres préparations simples.
- L'huile de noix est intéressante, d'un point de vue nutritionnel comme gustatif, mais elle rancit très

vite et devient alors carrément toxique. Achetez de toutes petites bouteilles que vous conserverez peu de temps, à l'abri de la lumière.

- Évitez les noix hachées en poudre, ainsi que de conserver longtemps des cerneaux de noix. Hyperfragiles, ils rancissent vite.
- Dans tous les cas, la température élevée est prohibée car elle dénature les acides gras de la noix.
- Pour les desserts, les meilleures noix sont celles de pécan, qui donnent la fameuse tarte pacane québécoise.
- On peut glisser des noix de cajou concassées dans la plupart des poêlées de légumes, les pâtes ou le riz, ainsi que dans les salades ou les terrines, sucrées comme salées.
- Pourquoi ne pas faire caraméliser les noix dans une poêle avec du beurre et un peu de miel ? À servir avec le café ou dans une salade de fruits, ou encore sur du fromage blanc.

Recette spécial débutant

Financiers aux noix

70 g de cerneaux de noix • 220 g de beurre • 180 g de sucre • 70 g de farine • 6 blancs d'œufs • (Des moules à financiers)

① Préchauffez le four (th. 6). Mettez le beurre dans une casserole pour le faire fondre.

② Pendant ce temps, mixez les noix jusqu'à les réduire en poudre.

③ Dans un saladier, mélangez la poudre de noix, le sucre et la farine. Puis le beurre fondu.

④ Répartissez la pâte dans les moules. Enfournez pour 12 minutes.

Si vous n'avez pas de moules à financiers, vous pouvez verser la pâte dans un plat unique, mais adaptez le temps de cuisson : il faudra ajouter quelques minutes supplémentaires.

Ça alors !
Les noix sont si riches en oméga 3 qu'avec 5 noix/jour, ou 2 cuillères à soupe d'huile de noix, on couvre une grande partie de nos besoins.

L'OIGNON

Calories = 46/100 g

Les principaux apports nutritionnels (pour 100 g) :

Composés soufrés = 50 mg
Fibres = 2 g
Fer = 0,4 mg
Sélénium = 20 µg
Vitamine C (selon la variété)

- Composés soufrés = les mêmes que dans l'ail, protecteurs mais peu digestes
- Fibres = d'autant mieux tolérées qu'il est cuit
- Fer = son assimilation est améliorée par la présence de vitamine C
- Sélénium = un protecteur cellulaire de premier or-

dre, peu fréquent dans les aliments

- Vitamine C = nutriment santé majeur, antioxydante, antifatigue.

C'est la saison ! Toute l'année.

Ça se conserve comment ? Jusqu'à deux mois dans un endroit frais et sec (pas au réfrigérateur). Même type de conservation que l'ail et même remarque : plus on le consomme tôt, meilleur il est.

Ça se congèle ? Inutile !

Ça se mange cru ? Oui.

Cuisson conseillée ? 5 à 10 minutes à la poêle ou 30 à 60 minutes au four.

Capital santé

- Ce sont ses composés soufrés qui lui confèrent saveur et odeur, comme pour l'ail. Ils favorisent la circulation sanguine et font baisser le taux de cholestérol (surtout l'alliine et dérivés).
- Mais l'oignon renferme surtout des substances antibiotiques naturelles de tout premier ordre. Il protège donc des microbes, renforce l'immunité et exerce une action antiallergique.
- L'oignon est l'ami juré des diabétiques. Ses acides aminés soufrés dits « insulinogéniques » épargnent le pancréas en évitant la sécrétion accrue d'insuline. Pour profiter pleinement de cette propriété (stabilisation du taux de sucre sanguin), évitez la cuisson et le séchage. En outre, il aide à prévenir certaines complications liées au diabète. N'oubliez pas son inséparable compagnon, l'ail, excellent protecteur contre les mycoses, les troubles de la circulation et les maladies cardiaques… trois points à surveiller

de près chez le diabétique.

- Si vous associez de la viande à une sauce à l'échalote ou à l'oignon, vous assimilerez mieux son fer.

BONUS

L'échalote est plus facile à digérer que l'oignon. Elle est toute douce après cuisson, même envers les systèmes digestifs délicats. Et elle fait moins pleurer à l'épluchage ! En revanche, plus concentrée en matière sèche (elle renferme moins d'eau), elle est près de deux fois plus calorique. Mais avec la quantité qu'on utilise...

- Il ouvre l'appétit et favorise la digestion en stimulant la sécrétion biliaire.
- Le sélénium est l'un des composés les plus antioxydants connus à ce jour.
- L'oignon est diurétique : il favorise l'élimination, grâce à ses fructosanes (des glucides particuliers que l'on retrouve aussi dans les asperges) et à sa forte teneur en potassium.
- L'oignon jaune est plus riche en flavonoïdes. Le violet, lui, renferme davantage d'anthocyanes : dans tous les cas, vous faites le plein en antioxydants.

ASTUCES DE PRO

- N'achetez que des oignons fermes de couleur uniforme. Non aux produits moisis, humides, écorchés ou germés !

- Les bulbes sont souvent traités par ionisation afin d'éviter une germination trop rapide. Les scientifiques ne sont pas tous d'accord sur l'innocuité de cette technique. Si vous y êtes réfractaire, procurez-vous des échalotes ou des oignons bio.
- Il s'épluche pour toutes les préparations, sauf si vous le préparez « en chemise ». Dans ce cas, il file tel quel au four et offrira, en fin de cuisson, une chair incroyablement douce et tendre…
- Lorsque vous le stockez, veillez à ce qu'il soit protégé de l'humidité et de la lumière.
- Dans la catégorie « échalotes », ne ratez pas les primeurs (en été), les longues et demi-longues sont des trésors de finesse. La meilleure façon de déguster la longue : faites-la cuire telle quelle (avec la peau), en papillote par exemple, ouvrez-la en deux, déposez au centre une ou deux gouttes d'huile d'olive ou de colza, et plongez une petite cuillère dedans. Fermez les yeux. Dégustez.
- Dans vos salades et sur vos plats, alternez ail, oignon et échalote. Cela devrait devenir un réflexe quotidien !
- Des petits « cubes » d'oignon dispersés sur une salade de carottes râpées, betteraves, noix, le tout arrosé d'un filet d'huile de colza et d'une cuillère à soupe de jus de citron. Votre cœur vous dit merci !
- Vous pouvez émincer systématiquement une petite échalote ou la moitié d'un oignon dans une poêlée de légumes et faire revenir le tout dans l'huile d'olive. C'est doux et savoureux. Sinon, faites-les cuire seuls jusqu'à ce qu'ils croustillent et insérez-les dans une omelette : ils remplacent avantageusement les croûtons. Mais pitié : tranchez-les au

couteau d'office, pas au mixeur qui les réduit en bouillie !

- La fleur d'échalote mérite un coup de dents ! On la cueille sur la plante lorsqu'elle commence à monter en graine. Son goût piquant parfume les plats.

Recette spécial débutant

Oignons marinés

350 g d'oignons • 1 citron • Huile d'olive, vinaigre, jus de citron • Poivre

① Pelez les oignons, coupez-les en rondelles, mettez-les dans un plat.

② Épluchez le citron, coupez-le en rondelles, ajoutez-les aux oignons.

③ Arrosez d'huile, de vinaigre, de jus de citron. Poivrez.

④ Laissez reposer tranquillement quelques heures, de préférence au réfrigérateur.

Dégustez tel quel (c'est très doux) ou avec une viande blanche (poulet...).

Ça alors !

Pour éplucher vos oignons sans pleurer, une multitude d'astuces de grand-mère, toutes efficaces, sont à votre disposition. Vous pouvez les éplucher dans de l'eau froide ou tiède, ou dans un sac plastique (en refermant au maximum ce dernier) ou encore les placer 5 à 10 minutes au congélateur avant d'attaquer : ce petit coup de froid calmera leurs ardeurs !

L'ORANGE

Calories = 45/100 g

Les principaux apports nutritionnels (pour 100 g) :

Vitamine C = 53 mg
Potassium = 180 mg
Calcium = 40 mg
Magnésium = 10 mg
Fibres = 1,8 g

- Vitamine C = sa réputation de fruit riche en vitamine C est justifiée !
- Calcium = un bon score compte tenu de l'apport calorique faible
- Fibres = elles favorisent la réduction du cholestérol
- Potassium = le taux n'est pas record, mais il s'associe à d'autres substances pour équilibrer notre milieu interne
- Magnésium = avec le potassium et le calcium, il hisse l'orange au rang convoité des aliments reminéralisants

C'est la saison ! Tout l'hiver !
Ça se conserve comment ? Plutôt au réfrigérateur, jusqu'à 5 voire 6 jours. Sur un balcon (s'il fait bien frais) c'est bien aussi.
Ça se congèle ? Déconseillé.

Ça se mange cru ? Oui.
Cuisson conseillée ? Déconseillée (la chaleur détruit sa vitamine C).

Capital santé

- L'orange est un bon moyen d'augmenter ses apports en vitamine C. D'autant que ses flavonoïdes améliorent son assimilation et neutralisent eux aussi les radicaux libres.
- Elle renforce l'immunité !
- Les fumeurs, les personnes stressées ou soumises à un environnement pollué devraient en consommer très régulièrement.
- Elle lutte contre la mauvaise circulation des petits vaisseaux (pieds et mains toujours froids, surface de la peau, yeux, cerveau, etc.).
- Le zeste est intéressant car il apporte des huiles essentielles. Mais gare aux pesticides !
- L'orange n'est pas toujours bien tolérée sur un plan digestif. Dans ce cas, essayez de la consommer en dehors des repas.
- Évitez le verre de jus d'orange le matin au petit déjeuner (pire encore : à jeun !), très agressif pour l'estomac. Un fruit frais est toujours préférable au jus. Mieux vaut manger une orange que consommer un verre de jus.
- Les fans d'orange pressée doivent la boire rapidement après préparation : dans le quart d'heure qui suit, la vitamine C s'est envolée. Ne laissez pas une carafe de jus d'orange sur la table !
- L'orange contient 1,2 g d'acides organiques. Ce chiffre élevé révèle une propriété intéressante : avec le potassium et le calcium, ces substances s'opposent

à l'acidité du sang. Malgré une saveur « acide », l'orange est donc alcalinisante, c'est-à-dire qu'elle équilibre le milieu interne afin de ne pas le rendre propice au développement bactérien, mycosique, etc.

- La consommation d'oranges (et d'agrumes en général) protège de certains cancers.
- L'orange est un fruit rafraîchissant… que, curieusement, l'on consomme surtout en hiver. Si vous êtes frileux, peut-être la fuyez-vous d'instinct !
- Les oranges peu mûres contiennent moins de pectine (une fibre anticholestérol, coupe-faim, anti-kilo). Pour en bénéficier pleinement, il faut manger la fine peau blanche qui entoure chaque quartier ainsi que les petits « fils » qu'on traque trop souvent méticuleusement.
- Les sanguines renferment plus de carotènes.

ASTUCES DE PRO

- Achetez des fruits lourds, à la peau tendue et ferme. A chaque variété son utilisation :
  - **Les Sanguines** sont géniales, mais disponibles pendant peu de temps. Précipitez-vous si vous aimez les fruits très sucrés et parfumés.
  - **Les sucrées**, type Valencia, donnent beaucoup de jus mais aussi… plus de pépins que la Navel. Elles sont à préférer pour confectionner le jus, ce sont donc des orange dites « à jus ».
  - **La Navel**, avec sa forme caractéristique en « nombril » est idéale à manger nature ou dans les desserts. C'est ce qu'on appelle une orange de table.
  - **Les oranges amères** sont à réserver aux confitures.

Après, c'est à voir avec votre primeur. On dit que la Moro (sicilienne) est la meilleure de toutes, mais la Jaffa (Israël), la Maltaise (Tunisie) et la Navelina sont excellentes aussi…

- Plus l'écorce est épaisse, plus l'orange sera douce… mais moins elle sera juteuse.
- Évitez de ranger vos oranges près de vos pommes de terre : elles échangent leurs arômes !
- Rincez bien l'orange sous l'eau chaude savonneuse si vous utilisez le zeste (il existe même des « savons à fruits et légumes » maintenant !). Mais nous vous conseillons des oranges bio dans ce cas, ou en tout cas « non traitées après récolte » ou « oranges sans traitement chimique ni enrobage après récolte ». Et même alors, brossez-les sous l'eau chaude et rincez-les bien.
- Pour utiliser plus facilement le zeste, rien ne vous empêche de le mouliner.
- Ma salade orange (elle fait toujours sensation) : mélangez les quartiers de 2 oranges avec 2 carottes râpées, ½ oignon rouge émincé et environ 80 g d'olives noires dénoyautées (ou des cerneaux de noix, comme vous préférez). Vous pouvez ajouter des herbes fraîches si vous voulez. Arrosez de sauce : 2 cuillères à soupe d'huile d'olive + 2 cuillères à soupe de jus d'orange. C'est une entrée terrible pour 6 !
- Une salade de fruits parfaite : orange, banane, pruneaux, raisins secs et pomme. Le mélange apporte fibres, vitamines, glucides (sucres) naturels des fruits, fer (la vitamine C en facilite l'absorption). Inutile d'ajouter du sucre. À la rigueur un filet de sirop d'érable ou de miel si vous y tenez vraiment !

Recette spécial débutant

Orange dans la cheminée
1 orange • Sucre • Cannelle en poudre • Du papier alu • (1 cheminée)

① Épluchez l'orange. Coupez-la en rondelles.

② Assaisonnez les rondelles de sucre et de cannelle.

③ Reformez l'orange, emballez-la de papier alu et posez-la sur les braises pendant 20 minutes.

④ Ouvrez, dégustez à la cuillère.

Attention ! Remuez votre « paquet » de temps en temps, et surtout restez bien à proximité pour éviter tout incident !

Ça alors !
L'eau de fleur d'oranger provient de la macération des fleurs de bigaradier. Il est vivement recommandé d'en avoir toujours dans sa cuisine parce que c'est : 1) très très très bon, 2) idéal pour aromatiser sans sucrer (amis de la légèreté, bonjour !).

LE PAMPLEMOUSSE

Les principaux apports nutritionnels (pour 100 g) :

Calories = 42/100 g

Fibres = 1,5 g
Fer = 0,2 mg
Vitamine C = 37 mg
Carotènes = 0,015 mg

- Fibres = elles se concentrent surtout dans la peau blanche autour des quartiers
- Vitamine C = son action est renforcée par les flavonoïdes qui protègent les petits vaisseaux sanguins
- Fer = un apport utile, d'autant que le pomelo est souvent consommé par les femmes au régime
- Carotènes = plus il est rose, plus il y en a

C'est la saison ! En hiver.
Ça se conserve comment ? Quelques jours à température ambiante mais mieux vaut le mettre au réfrigérateur où il peut patienter jusqu'à une bonne semaine.
Ça se congèle ? Déconseillé.
Ça se mange cru ? Oui.
Cuisson conseillée ? Déconseillé.

Capital santé

- Ses fibres douces et ses nombreux acides organiques contribuent à la bonne santé du tube digestif.
- Ces mêmes acides lui confèrent des vertus alcalinisantes, c'est-à-dire hostiles au développement des bactéries et virus dans notre corps.
- Tous les agrumes jouent un rôle dans la protection contre le cancer, notamment de celui de l'estomac.
- Et, riches en vitamine C, ils participent à la protec-

tion du cristallin, donc de la vue.

- Le jus de pamplemousse contient des substances appelées furano-coumarines, qui **majorent** les effets de certains médicaments : antihypertenseurs (inhibiteurs calciques), plusieurs antiprotéases utilisées dans le traitement du Sida, le Viagra, et bien d'autres encore. Mais aussi, elles **empêchent** l'absorption d'autres médicaments : ceux contre les rejets de greffes, certaines chimiothérapies, de nombreux antiallergiques et molécules à visée cardio-vasculaire. Quel que soit votre traitement, ne l'avalez pas avec le jus de ce fruits.

Astuces de pro

- Le fruit que nous appelons « pamplemousse » est en fait un pomelo, issu du croisement entre un pamplemousse et un citron ou une orange amère. Le pomelo est un fruit d'hiver. Les meilleurs viennent de Floride. Les blancs sont plus acidulés, les roses pas vraiment plus sucrés mais moins acides. Oubliez les « Ruby », disons, globalement nuls.
- Il doit être lourd (donc juteux), ferme et plein, sa peau ne doit pas présenter de taches. Elle peut, en revanche, s'orner de reflets verts ou d'irrégularités dus à son frottement sur l'arbre, ce qui n'obère en rien sa qualité.
- Il entre dans la composition de toutes les salades salées ou sucrées. Vous pouvez utiliser son jus pour la vinaigrette ou pour asperger les salades : il est plus doux que le citron et apporte autant de vitamine C. Il peut remplacer le vinaigre. Les avocats, les crevettes et le crabe ne le quittent pas.
- Curieusement, il se marie très bien avec les len-

tilles, dont il améliore l'assimilation du fer.

- Il « passe » aussi fort bien avec le riz ou les céréales (salées ou sucrées).
- Comme de nombreux fruits, il supporte bien quelques minutes de cuisson à la poêle dans un peu de beurre. Saupoudrez de cassonade ou de miel et ajoutez des amandes effilées et/ou des raisins secs. Bonheur.
- En papillote (dans du papier sulfurisé, pas d'aluminium car l'acidité du fruit pourrait attaquer ce dernier et provoquer la migration d'aluminium dans l'aliment). Un filet de poisson blanc, quelques quartiers de pomelo et quelques minutes de patience. C'est prêt !
- Les kumquats, les tangerines et les tangelos (tous des agrumes) sont encore plus riches en carotènes. Insérez-le de temps à autres dans vos salades de fruits.

Immangeable pamplemousse !

Le « vrai » pamplemousse est pratiquement immangeable : gros fruit capable de peser dans les 6 kg, il ne renferme pas de jus et sa chair est très amère.

Recette spécial débutant

Pamplemousse au four
1 pamplemousse • 2 cuillères à soupe de sirop d'érable ou de miel

① Préchauffez le gril du four. Coupez votre pamplemousse en deux dans le sens horizontal.

② Nappez chaque partie de chair à vif avec du sirop d'érable ou du miel.

③ Enfournez pour quelques minutes.

Ça alors !
Le pomelo est une variété de pamplemousse. Le ruby aussi. Mais il y en a bien d'autres, plus ou moins sucrées ou acidulées : le sweetie (préféré des enfants car très doux), le sunrise, ultrajuteux, le royal, un peu amer, etc.

LA PÊCHE

Calories = 40/100 g

Les principaux apports nutritionnels (pour 100 g) :

Fibres = 1,5 g
Potassium = 230 mg
Magnésium = 10 mg
Vitamine E = 0,6 mg
Vitamine B3 = 0,9 mg
Carotènes = 0,5 mg
Pigments

- Fibres = douces, surtout si on ne mange pas la peau
- Potassium = riche en potassium + pauvre en sodium = diurétique
- Magnésium = du magnésium peu calorique !
- Vitamine E = la teneur dépend du mode de culture
- Vitamine B3 = elle en contient plus que l'abricot, donc beaucoup
- Carotènes = du bêtacarotène, de l'alphacarotène
- Pigments = flavonoïdes, anthocyanes et xanthophylles, très antioxydants et protecteurs

C'est la saison ! De juin à septembre.
Ça se conserve comment ? 2 à 4 jours à température ambiante (évitez le réfrigérateur).
Ça se congèle ? De la même manière que les abricots.
Ça se mange cru ? Oui.
Cuisson conseillée ? Quelques minutes pochée dans un liquide aromatisé (casserole) ou poêlée.

Capital santé

- Près du noyau, les filaments rouges signalent la présence de flavonoïdes. La pulpe, jaune et orange, doit sa couleur aux caroténoïdes. Les flavonoïdes agissent en synergie avec la vitamine C pour protéger nos petits vaisseaux sanguins.

- Les pêches jaunes contiennent plus de carotènes que les blanches. Les pêches de vigne, elles, apportent plutôt des anthocyanes.
- La pêche possède un arôme très puissant, résultant de plus de 80 éléments volatiles ! Les terpènes, aldéhydes, lactones et cétones sont, de plus, bons pour la santé. Lorsque la pêche arrive au top de sa maturité, elle en contient un maximum.
- Ses fibres douces participent à la régulation du taux de cholestérol et de l'appétit.
- Les pêches crues sont riches en vitamine C, donc soutiennent l'immunité, luttent contre le saignement des gencives, etc. Cuites et en compote (maison), elles soulagent les estomacs douloureux.

ASTUCES DE PRO

- Pour choisir, c'est facile : il existe des pêches à duvet et des pêches lisses. Les premières sont destinées à être croquées à pleines dents. Les secondes peuvent être des nectarines (le noyau est libre) ou des brugnons (la chair adhère au noyau).
- Les pêches lisses sont moins fragiles que celles à duvet. Attention aux chocs tout de même.
- Si vos fruits sont un peu trop fermes, attendez quelques jours.
- Ne conservez pas trop longtemps vos fruits : l'eau s'évapore et la pêche devient cotonneuse.
- Les pêches blanches ne sont pas meilleures que les jaunes ou inversement : leur couleur n'a aucun rapport avec leur saveur, dictée par le taux de sucre

du fruit. Gorgé de soleil, il sera plus goûteux, c'est souvent le cas des plus gros fruits (pas toujours).

- Les fruits trop fermes ou inodores seront nuls. Évitez aussi les peaux craquelées ou tachées. La couleur ne « compte pas », car certaines variétés sont bien rouges, même avant leur maturité.
- D'une manière générale, on n'épluche pas les pêches. En tout cas, pas les nectarines, ou alors bon courage ! Si vous y tenez, procédez comme avec les tomates : quelques secondes dans l'eau bouillante, et la peau s'enlève toute seule.
- Lorsque vous coupez une pêche, arrosez-la de jus de citron pour éviter qu'elle s'oxyde.
- La pêche se mêle facilement à tous les types de salades, salées ou sucrées. Elle peut « remplacer » le melon pour accompagner le jambon cru.
- Une pêche cuite à la vapeur conserve la majorité de ses vitamines et ses fibres sont attendries. Vous pouvez la servir avec une volaille, du porc ou certains poissons blancs. On la fait aussi cuire au four, comme une pomme
- Une soupe de pêche, c'est facile : pochez les fruits dans de l'eau sucrée (ou du vin épicé et sucré) et mixez le tout. C'est prêt ! On peut les servir en coupe et y glisser quelques groseilles, framboises ou fraises.
- Un granité classe ? Mixez des pêches crues avec du champagne, passez le tout au congélateur.

Recette spécial débutant

Glace pêche blanche
2 pêches (jaunes ou blanches) • 1 pot de yaourt • 1 pot de fromage blanc • 1 grosse cuillère à soupe de crème fraîche • 2 cuillères à soupe de jus de citron • 1 grosse cuillère à soupe de sucre

① Épluchez les pêches, retirez les noyaux.

② Mixez tous les ingrédients ensemble. Versez dans un plat et mettez au freezer (ou à défaut, au congélateur).

③ Laissez cristalliser pendant plusieurs heures mais remuez un peu à la fourchette toutes les ½ heures pour éviter que le mélange prenne en masse.

Ça alors !
Une pêche sans odeur, c'est à tous les coups une pêche sans saveur. Ne vous donnez même pas la peine de l'ouvrir !

LE PETIT POIS

Calories = 70/100 g

Les principaux apports nutritionnels (pour 100 g) :

Protides = 6 g
Vitamine C = 32 mg
Vitamine E = 3 mg
Vitamine B9 = 62 µg
Fibres = 6 g
Potassium = 304 mg

- Protides = un taux remarquable pour un légume
- Vitamine C = très bon score, à condition qu'il soit frais
- Vitamine E = très bonne source
- Vitamine B9 = bonne source de vitamines B en général
- Fibres = elles sont plus digestes en purée
- Potassium = très bon taux, à condition de ne pas les manger en conserve (trop de sel)

C'est la saison ! Du début avril à la fin du mois de juillet. Mais on trouve de bonnes importations à partir de février.

Ça se conserve comment ? 4 jours tels quels (non écossés) au réfrigérateur.

Ça se congèle ? On les fait bouillir quelques minutes d'abord, puis on les laisse refroidir, on attend qu'ils soient bien secs et on les place dans un sac ad hoc.

Ça se mange cru ? Oui, à la croque au sel ! (anecdotique)

Cuisson conseillée ? 15 minutes à l'étuvée en cocotte ou à la vapeur, 3 minutes maxi si conserve.

Capital santé

- Le petit pois est particulièrement riche en glucides : il en contient 12 %, contre 5 à 7 % pour la moyenne des autres légumes. Heureusement, ils sont à index glycémique bas (anciennement « sucres lents ») !
- C'est une bonne source de vitamines, notamment la B1, qui permet d'assimiler correctement les sucres, mais aussi d'autres vitamines B importantes pour la santé et assez peu courantes dans le monde végétal en de telles quantités.
- Les conserves contiennent généralement trop de sel et de sucre ajoutés. Mais les petits pois surgelés restent assez décevants. Entre les deux… Heureusement, on trouve maintenant presque partout des barquettes de légumes frais, dont nos chers petits pois. Hourra !
- Il contient pas mal de fibres et de soufre, et n'est donc pas toujours bien digéré.

Astuces de pro

- Plus sa peau est fine, plus le petit pois sera tendre. Normalement, les cosses bien vertes garantissent la fraîcheur. Méfiez-vous des cosses tirant sur le jaune.
- Une fois achetés, ces légumes peuvent se conserver quelques jours dans le bac à légumes au froid, à condition de les laisser dans leurs cosses. Épluchez-les au dernier moment.
- On peut très bien croquer des petits pois crus, s'ils sont très tendres et que son intestin est d'accord. Pas question d'en avaler une pleine assiette, mais quelques-uns à l'apéritif, c'est charmant ! À la fois sucrés et croquants, ils se marient bien avec des petits morceaux de jambon cru, salé et fondant. On

peut aussi en jeter quelques-uns dans une salade ou même dans un potage ou une purée.

- Pour les préparations cuites, optez de préférence pour l'étouffée. Cuit, ce légume est franchement traditionnel. Ses petites billes vertes donnent une touche printanière et plaisante à toutes les viandes (notamment le veau et l'agneau) ainsi que les cœurs de laitue et les jeunes oignons frais... c'est la célèbre cuisson à la française.
- Si on l'associe à du riz, leurs acides aminés se complètent pour donner des protéines équilibrées. Le riz cantonnais a donc « tout bon ». Ce mariage de raison fonctionne aussi avec les pâtes.
- Pour faire une purée de petits pois, il suffit de passer ces derniers au moulin à légumes. Nul besoin d'ajouter des pommes de terre : compte tenu de sa haute teneur en glucides, on pourrait presque classer le petit pois parmi les féculents plutôt que les légumes.
- La saison des petits pois frais est courte : il faut en profiter. Viiite !

Recette spécial débutant

Salade de petits pois crus et Cie

(pour 4)

1 barquette de petits pois frais • 1 botte de radis • 1 pomme • 2 pommes de terre cuites • 1 salade (romaine de préférence, pour rester dans le croquant) • 1 pot de fromage blanc • Huile, vinaigre • Sel, poivre

① Rincez les feuilles de salade. Essorez-les.

② Épluchez, rincez et coupez les radis. Pelez la pomme et taillez-la en rondelles ou en cubes. Coupez les pommes de terre en rondelles.

③ Mélangez le tout dans un saladier, ajoutez les petits pois crus.

④ Dans un bol, mélangez le fromage blanc avec l'huile, le vinaigre, le sel, le poivre.

⑤ Brassez le tout dans le saladier.

Ça alors !
Vous cédez aux sirènes des petits pois en boîte ? Pourquoi pas. Ne soyons pas systématiquement ennemi de la facilité. Mais promettez de : 1) ne pas les rincer (réchauffez-les dans leur jus) ; 2) ne pas les laisser bouillir.

LA POIRE

Calories = 50/100 g

Les principaux apports nutritionnels (pour 100 g) :

Fibres = 2,3 g | Glucides (sucres) = 12 g
Potassium = 125 mg | Vitamine E = 0,5 mg

- Fibres = on gagne à consommer la peau si elle n'est pas trop dure. Les poires d'hiver en contiennent plus.
- Potassium = apport non négligeable
- Glucides = divers et bien équilibrés. Les poires d'été sont plus sucrées.
- Vitamine E = plutôt rare pour un fruit si riche en eau

Remarque : il existe de multiples variétés, notamment d'été et d'hiver. Leur composition varie notablement.

C'est la saison ! Juillet à fin septembre pour les poires d'été, septembre à mars pour les variétés d'hiver.
Ça se conserve comment ? Quelques jours, plutôt à l'air ambiant. Mais on peut prolonger encore de 2 ou 3 jours au réfrigérateur. Surveillez le mûrissement !
Ça se congèle ? Déconseillé.
Ça se mange cru ? Oui.
Cuisson conseillée ? En compote, 15 à 20 minutes en cocotte traditionnelle.

Capital santé

- Un peu comme la pomme, la poire ne présente aucun taux « record » en une substance particulière, tout son intérêt repose sur son équilibre.
- Comme souvent, la majeure partie des substances protectrices se concentre dans la peau. C'est pourquoi il faut bien choisir ses fruits pour pouvoir se dispenser de les éplucher. Les intestins fragiles doivent malgré tout passer par l'épluchage ou se résigner à ne manger que des poires d'été.
- Les sucres de ce fruit sont très divers : du glucose et du saccharose, rapidement assimilés (pour les sportifs et en cas de coup de pompe), du fructose qui

passe doucement dans le sang (un sucre beaucoup plus lent) et enfin du sorbitol, anticonstipation.

ASTUCES DE PRO

- On a un faible pour la poire. Surtout pour la Doyenné du comice, fondante et juteuse à souhait. Pour la cuisson, préférez la Conférence, elle restera ferme et digne.
- Si les fruits à noyau mûrissent sur l'arbre, les fruits à pépins poursuivent leur maturation après la cueillette. Choisissez-les à différents stades de maturation pour étaler votre consommation.
- Creusons cette histoire de maturation : la poire est toujours récoltée avant maturité, elle doit donc être affinée, c'est-à-dire « patienter » pour devenir « plus fine », meilleure. Comme un bon fromage ! Un bon marchand de fruits et légumes ne vous vend théoriquement que des poires parfaitement mûres. En grande distribution, il n'en est pas question, car les fruits pourraient s'abîmer lors des manipulations. Que cela ne vous rebute pas : achetez-les même si elles sont « dures », vous savez que chez vous, elles développeront leurs arômes. Pour accélérer les choses, enfermez vos belles dans un sac plastique que vous placerez dans un endroit frais (on n'a pas dit « froid »).
- Une poire doit rester ferme. Trop souple, elle est probablement trop mûre (surtout si c'est un fruit d'importation).
- La queue de certaines poires est recouverte de cire rouge : c'est de la paraffine, destinée à limiter l'évaporation et donc à retarder le flétrissement.

- Lors de toutes vos préparations, arrosez la chair d'un filet de jus de citron pour empêcher son brunissement et améliorer sa teneur en vitamine C.
- Les poires trop dures peuvent être facilement pochées dans de l'eau sucrée ou dans du vin. Laissez cuire doucement jusqu'à ce que la lame du couteau s'enfonce dans le fruit.
- La poire adore le chocolat et la poudre d'amande. Pas vous ?
- On y pense moins que la pomme, et pourtant la poire s'adapte à de nombreuses préparations salées (salades, viandes, fromages, tartes, salades de fruits, flans, gâteaux...).

Recette spécial débutant

Compote crue de poires
2 poires • 1 cuillère à soupe de miel ou de sirop d'érable • 1 cuillère à soupe de jus de citron • Un peu de poudre d'amande (facultatif)

① Épluchez les poires, retirez la partie dure du milieu et les pépins.

② Mixez tous les ingrédients pas trop finement : certains gourmands aiment trouver des « morceaux ».

Ça alors !
La meilleure des meilleures, c'est la doyenné du Comice. Mais elle n'est vraiment parfaite qu'en décembre. Le reste de l'année, vous pouvez vous rabattre sur la Conférence (inégale selon les mois)

ou l'Olivier de Serres, vraiment délicieuse parfois, vraiment nulle les jours de malchance. La Passe-Crassane, hyper-vendue, est agréable bien que moins parfumée. Oui, on pourrait disserter comme ça longtemps…

LE POIREAU

Calories = 42/100 g

Les principaux apports nutritionnels (pour 100 g) :

Carotènes = 0,5 mg
Fibres = 3,5 g
Potassium = 256 mg
Vitamine E = 1 mg
Vitamine B9 = 55 µg

- Carotènes = une bonne source, surtout si le poireau est très foncé (vert)
- Fibres = pectines douces dans la partie blanche, cellulose plus difficile à digérer dans la partie verte
- Potassium = riche en potassium et surtout très pauvre en sodium
- Vitamine E = la teneur n'est pas négligeable
- Vitamine B9 = il doit rester cru pour nous délivrer son acide folique

C'est la saison ! De septembre à mars (mai et juin pour le poireau primeur)

Ça se conserve comment ? Jusqu'à 2 jours à température ambiante, mais mieux vaut le placer au réfrigérateur où il peut patienter 3 jours de plus.

Ça se congèle ? On le nettoie, on élimine les feuilles moches, on le découpe en tronçons que l'on fait bouillir 5 minutes. Puis on laisse refroidir et sécher, on place dans un sachet à congélation et dans le congélateur.
Ça se mange cru ? Oui (dans une salade) mais attention, c'est fort en goût !
Cuisson conseillée ? 5 minutes à la vapeur (en tronçons).

Capital santé

- Le poireau contient des fructosanes. Ces « cousins » de sucres sont très diurétiques. Associé à la richesse en potassium et à la pauvreté en sodium, cela place le poireau en bonne position pour lutter contre la rétention d'eau.
- Il est pourvu de substances soufrées originales (de la même famille que l'oignon et l'ail) hautement protectrices contre le cancer.
- Il est idéal pour ceux qui surveillent leur ligne car particulièrement riche en fibres mais pauvre en calories. Il possède un effet coupe-faim grâce à la répartition très particulière de ses fibres.
- Il prévient la constipation.
- Il est traditionnellement utilisé pour « nettoyer » le système digestif. C'est le compagnon idéal des lendemains de fête, à condition de ne pas l'ensevelir sous la vinaigrette…

Astuces de pro

- Le poireau primeur est doux et tendre, mais il est moins bien pourvu en substances santé. Mais il est doux et tendre. Mais… Bref : faites-vous plaisir !

C'est quoi un primeur ?

Pour résumer, c'est un légume récolté avant la saison « normale ». « Primeur » et « printemps » font bon ménage (tous deux viennent de « premier temps ») et d'ailleurs les primeurs sont toujours récoltés avant le 31 juillet. Carotte, oignon, radis, asperge, échalote, navet, poireau, pomme de terre, en voilà des possibilités ! Les points communs de toutes ces merveilles de finesse et de saveur :

- ils sont récoltés avant maturité ;
- ils sont plus clairs (pâles) et plus fins que leurs frères « non primeurs » ;
- riches en eau, ils se conservent mal ;
- ils renferment moins d'éléments nutritionnels… mais ils sont si délicieux, tendres, fondants, doux, un peu sucrés, qu'on en mange plus !

- Mieux vaut acheter des poireaux entiers, avec les radicelles (les petites racines au bout du blanc).
- Plus il a fait froid, plus le « vert » est intense. À vous les pigments protecteurs !
- Pour bénéficier des substances protectrices présentes en abondance dans le poireau, il faut impérativement consommer une partie du « vert ».
- Les gros poireaux sont souvent meilleurs que les minces. Mais tout dépend de la façon dont ils ont été cultivés…
- Le poireau ne se mange pas souvent cru. On peut tout de même émincer un tout petit morceau de

blanc, il remplacera l'ail, pour relever la saveur d'une salade.

- Les poireaux cuisent en 5 à 7 minutes à la vapeur. Rien de plus rapide et de plus simple !
- On pense rarement à associer le poireau et le potiron. Pourtant leurs saveurs se marient fort bien et le mélange est exceptionnellement riche en carotènes. Surtout si on y ajoute… des carottes !

Recette spécial débutant

Poireaux aux noisettes

2 blancs de poireau • 1 filet d'huile d'olive • De la poudre de noisette (ou des noisettes entières) • Sel, poivre

① Faites bouillir de l'eau dans un cuit-vapeur.

② Rincez les poireaux. Coupez-les en rondelles pas trop fines (pour qu'elles se « tiennent »). Faites-les cuire à la vapeur pendant 7 minutes.

③ Lorsqu'elles sont prêtes (le couteau s'enfonce), sortez-les, égouttez-les si besoin.

④ Assaisonnez d'huile, d'un peu de sel et de poivre. Saupoudrez de poudre de noisettes.

Si vous avez des noisettes entières, écrasez-les grossièrement, ce sera encore meilleur : enfermez-les dans un torchon propre, posez-le sur la planche à découper et tapez dessus à l'aide d'un marteau ou, à défaut, d'une bouteille en verre, d'un fond de casserole.

Ça alors !
Plutôt que de jeter les feuilles vertes parce qu'elles sont trop dures, pourquoi ne pas les mixer ? Voilà qui les adoucira tout net et vous permettra de préparer des soupes, gratins, purées, seules ou accompagnées de leurs amis de toujours : pommes de terre, carottes et consorts.

LE POIVRON

Calories = 21/100 g

Les principaux apports nutritionnels (pour 100 g) :

Carotènes = 3840 µg (poivrons rouges)
Fibres = 9 g
Vitamine C = 140 mg
Vitamine E = 1 mg

- Carotènes = les poivrons rouges contiennent plus d'antioxydants que les verts (265 µg), cueillis avant maturité
- Fibres = elles sont dures et parfois mal tolérées. Un passage au four les rend plus digestes
- Vitamine C = la teneur est exceptionnelle : 100 g apportent près de 2 fois les apports recommandés par jour ! Le poivron cru en contient beaucoup plus
- Vitamine E = pas mal du tout !

C'est la saison ! De juin à novembre
Ça se conserve comment ? Une bonne semaine dans le bac à légumes du frigo sans plastique autour.
Ça se congèle ? On le lave d'abord, on le prépare (= on retire les pépins, on le coupe en deux, en cubes ou en lanières) et, pour une fois, on le congèle cru.
Ça se mange cru ? Oui.
Cuisson conseillée ? 10 minutes à la vapeur.

Capital santé

- Le poivron fait l'objet d'un inexplicable engouement depuis quelques années et c'est tant mieux : il fait partie des aliments les plus riches en antioxydants.
- Ses flavonoïdes augmentent l'absorption de la vitamine C qui elle-même potentialise l'assimilation du fer.
- L'évolution des couleurs procède d'une logique biologique : tous les poivrons commencent leur vie en vert (chlorophylle) puis, tandis que le légume avance en maturité, il produit des carotènes, ce qui lui procure une teinte de plus en plus rouge. Dans le même temps, la chlorophylle et les anthocyanines disparaissent, ce qui laisse éclater les jaunes et orangés que l'on goûte d'abord avec les yeux. Le poivron rouge est donc mûr tandis que le vert a été cueilli avant sa maturité complète.

Astuces de pro

- La peau doit être brillante, ferme et lisse, le pédoncule souple et vert.
- Les poivrons détestent les pics de température.
- Les poivrons verts conviennent mieux à la cuisson, les rouges aux crudités. Cependant, bien qu'ils of-

frent une étonnante variété de formes et de couleurs, leur différence de goût n'est pas si marquée… Donc faites avec ce que vous trouvez, ce sera très bien. Mais souvenez-vous de la règle : vert il croque, jaune il est doux, rouge il est tendre.

- Il faut toujours ôter les pépins (graines). Certains peuvent être toxiques.
- Ôtez également les nervures blanches, à l'intérieur : elles sont âcres.
- Goût et arômes viennent d'un savant mélange entre huiles volatiles et sucres : les meilleurs développent, paraît-il, une véritable complexité que les « poivronophiles » comparent à celles du vin.
- Vous voilà bien avec vos poivrons jaunes, rouges et verts. Vous avez craqué sur leurs jolies couleurs mais vous ne savez pas quoi en faire. D'abord l'épluchage – facultatif, mais impératif pour les intestins sensibles. Pour le faciliter, on peut certes les passer sous le gril pendant 10 minutes au moins, en les retournant sur toutes leurs faces pour qu'ils « cloquent », afin de les peler facilement. Mais ce procédé donne naissance à des composés toxiques. Mieux vaut donc les éplucher à cru au couteau économe (c'est un peu fastidieux, sauf si l'on dispose de poivrons archi-frais et bien bombés). On peut aussi les passer quelques minutes à la vapeur. Coupez ensuite en larges lanières. Laissez-les mariner une journée au moins dans un mélange d'huile d'olive et d'herbes diverses (avec le basilic, ça colle particulièrement bien). Le lendemain, faites griller des belles tranches de pain de campagne et disposez dessus une lanière de chaque poivron. Vous pouvez saler et poivrer si besoin, et surtout accom-

pagner d'un bon petit vin rouge frais. Un Bandol par exemple ?

Recette spécial débutant

Coulis de poivron

2 poivrons rouges • 1 oignon jaune • 1,5 dl de crème (classique ou soja) • 2 cuillères à soupe de vin blanc

① Coupez votre poivron en 2, retirez les pépins. Puis détaillez-le en lanières et mettez-les dans un plat.

② Épluchez l'oignon, coupez-le en rondelles et ajoutez-les aux poivrons. Mouillez de 2 cuillères à soupe d'eau. Mettez au micro-ondes pendant 6 minutes (pleine puissance). Laissez reposer encore quelques minutes.

③ Dans un bol, mélangez intimement la crème et le vin. Couvrez d'un film étirable et mettez au micro-ondes pendant 7 minutes (cuisson douce). Laissez reposer encore 4 minutes puis fouettez.

④ Mixez les poivrons et les oignons, mélangez-les à la crème. Remettez au micro-ondes pour encore 4 minutes (cuisson douce).

Ça alors !
Les poivrons que l'on trouve de novembre à juin ont poussé sous serre. Ils sont moins goûteux et plus chers qu'en pleine saison. Pourquoi s'obstiner à en manger ?

LA POMME

Calories = 54/100 g

Les principaux apports nutritionnels (pour 100 g) :

Fibres = 2,1 g
Potassium = 145 mg
Vitamine C = 10 mg
Vitamine E = 0,6 mg

- Fibres = surtout des pectines, donc faciles à digérer
- Potassium = peut-être pas un « record » mais un excellent rapport potassium/sodium
- Vitamine C = un apport de sécurité, surtout si le fruit reste cru
- Vitamine E = un taux intéressant, surtout compte tenu du faible apport calorique du fruit

C'est la saison ! De septembre à avril.
Ça se conserve comment ? Une semaine à température ambiante (de préférence au frais et à l'ombre).
Ça se congèle ? Déconseillé (sauf si vous préparez trop de compote).
Ça se mange cru ? Oui.
Cuisson conseillée ? 10 minutes à la vapeur ou en lamelles à la poêle.

Variété	Usage recommandé
Golden	« À croquer », beignet, compote, au vin
Belle de Boskoop	Avec le boudin, la viande, le poisson, la volaille, en coulis, en compote, au four, en tarte
Reinette	Avec le boudin, la viande, le poisson, la volaille, en coulis, en sauce, en gelée, en compote, au four, en tarte (y compris tatin), pour tous les plats salés
Granny smith	À croquer, au four, à cuire, avec le poisson, en salade (salée ou sucrée)

Capital santé

- La pomme protège le cœur. Notamment parce qu'elle diminue le taux de cholestérol et qu'elle s'oppose à l'hypertension. Pour cela, il faut la manger entière, avec la peau.
- Fortement recommandée en cas de goutte, d'arthrite, de rhumatismes, elle « nettoie » l'organisme, particulièrement les articulations.
- Elle réussit l'exploit de prévenir la constipation (grâce à ses fibres et à ses acides) et de soulager la diarrhée (toujours grâce à ses fibres, qui forment un gel dans l'intestin).
- Elle stabilise la glycémie : elle protège donc la santé, barre la route aux fringales et prévient le diabète. Mais aussi, elle calme l'appétit. C'est vraiment un super plan minceur !
- Elle renforce l'immunité. Vous connaissez le proverbe : « Une pomme par jour éloigne le médecin ! »

- Certains système digestifs fragiles la tolèrent mal : une cuisson très légère permet de l'adoucir et de bénéficier de la majeure partie de ses bienfaits. Comme elle contient assez peu de vitamines, elle n'est pas dénaturée par la chaleur qui la rend toute douce.

Astuces de pro

- Bien qu'on en trouve toute l'année, la pomme est un fruit de saison : c'est théoriquement en automne et en hiver qu'elle donne le meilleur d'elle-même, sur un plan gustatif comme nutritionnel.
- Choisir ses pommes, c'est simple. Prenez n'importe laquelle pour croquer dedans ! Pour les plats salés, optez pour les variétés plutôt acidulées et fermes (Granny Smith, Canada, Boskoop, Braeburn) et pour les préparations sucrées, des fruits plus doux et fondants (Gala, Fuji, Golden, Reinettes).
- Arrosez immédiatement de jus de citron la chair des pommes pour éviter qu'elle brunisse.
- La pomme dégage un gaz appelé éthylène, qui accélère le mûrissement des végétaux se trouvant à proximité. Laissez-la à l'air libre et ne la placez pas près d'autres légumes, sauf si vous souhaitez les aider à mûrir plus vite.
- Un dessert ultra-simple : pomme au four – 20 à 40 minutes (selon la taille), à faire cuire telle quelle dans le plat. Inutile de rajouter quoi que ce soit ! En version ultra-rapide : 10 à 15 minutes dans le cuit-vapeur.
- Une tarte aux pommes express : faites revenir rapidement des lamelles de pommes à la poêle. Disposez-les ensuite sur de grands sablés au beurre

(ou des petits, mais c'est plus délicat !). Saupoudrez de sucre complet et faites caraméliser au four pendant quelques minutes. Mmmmmmmmm !

- En version salée : toujours les lamelles, mais crues, que vous disposez sur une tranche de pain. Ajoutez une tranche de fromage à fondre (emmental par exemple) et passez au four quelques minutes. Servez sur une assiette de salade, par exemple d'épinard.

Recette spécial débutant

Omelette à la pomme

1 pomme • 1 œuf • Beurre • Sucre vanillé (1 sachet) • Jus de citron

① Épluchez la pomme, retirez les pépins et coupez la chair en tranches.

② Dans une poêle, faites chauffer un petit peu de beurre, jetez-y les tranches de pommes et laissez-les gentiment fondre à feu moyen (elles peuvent rester un peu croquantes, l'omelette n'en sera que meilleure).

③ Fouettez 1 œuf avec le sucre (pas forcément tout le sachet, commencez pas la moitié), versez sur les pommes. Arrosez d'un filet de jus de citron.

On peut ajouter à ce dessert des amandes effilées, des pistaches concassées ou à peu près n'importe quoi selon son imagination.

Ça alors !
L'histoire de la pomme est assez triste. « Avant », il en existait des centaines de variétés, adaptées aux régions, aux terroirs, aux climats, aux saisons… On dégustait des pommes différentes au fil des mois, on en avait toute l'année, et en plus ces fruits bien adaptés à leur milieu ne nécessitaient aucun traitement. Depuis les années 60, on a le choix entre quelque 20 sortes de pommes, calibrées et conçues pour se conserver longtemps, récoltées avant maturité (donc souvent fades, bourrées d'eau et sans intérêt gastronomique), ultra-traitées pour résister aux maladies. On vous avait prévenu que c'était un peu triste…

LA POMME DE TERRE

Calories = 85/100 g

Les principaux apports nutritionnels (pour 100 g) :

Fibres = 2,5 g
Vitamine B1 = 0,11 mg
Vitamine B3 = 1,2 mg
Vitamine B6 = 0,25 mg
Potassium = 410 mg
Magnésium = 27 mg
Fer = 0,80 mg
Caroténoïdes (variables selon variété)

- Fibres = on en profite mieux si on mange la peau
- Vitamines B = une très bonne source

- Potassium = intéressant, sauf dans les préparations salées (frites, chips)
- Magnésium = c'est plus que dans les pâtes et le riz (25 mg)
- Fer = un apport à prendre en compte en raison de la fréquence de consommation de ce tubercule
- Glucides = beaucoup de sucres lents très recommandables, à condition de bien la préparer
- Caroténoïdes = plus la pomme de terre est colorée, plus elle en renferme

C'est la saison ! Toute l'année. Pour les primeurs : de fin avril jusqu'au 31 juillet.
Ça se conserve comment ? Jusqu'à 2 voire 3 semaines à température ambiante, à l'ombre et dans un endroit frais et sec. Vous pouvez conserver vos primeurs dans le bac à légumes du frigo une toute petite semaine.
Ça se congèle ? Inutile (mais si vous en avez préparé de grosses quantités, comme de la purée, oui, bien sûr).
Ça se mange cru ? Non.
Cuisson conseillée ? 10 à 20 minutes à la vapeur selon taille. Ou 15 petites minutes à la poêle, taillées en rondelles.

Capital santé

- L'atout majeur de la pomme de terre, ce sont ses sucres dits « lents » (= à index glycémique bas ou moyen).
- Ils le sont d'autant plus que la pomme de terre est entière, consommée avec la peau, accompagnée d'un autre légume si possible riche en fibres, et arrosée d'un filet d'huile d'olive. À l'opposé, la purée

de pommes de terre, surtout en flocons, apporte des sucres « rapides » (= à index glycémique élevé). Bof.

- La pomme de terre héberge des composés qui peuvent devenir toxiques à partir d'un certain seuil. Ces solanines, c'est leur nom, peuvent se développer surtout dans la peau, notamment dans les « yeux », mais elles confèrent à la pomme de terre une saveur amère qui la rend alors repoussante. Lorsqu'elle est verte ou germée, il faut la jeter car chez les personnes sensibles, même une faible quantité de solanine peut provoquer des migraines et une somnolence.

VARIÉTÉ	USAGE RECOMMANDÉ
Bintje	En purée
Belle de Fontenay	Sautée
BF15	Vapeur, sautée
Charlotte	En salade froide
Estima	Au four
Manon	En soupe
Monalisa	En ragoût
Pompadour	En salade tiède
Ratte	Vapeur, à l'eau
Roseval	En ragoût
Samba	En gratin

- Les anthocyanines pigmentent la peau, les caroténoïdes colorent la chair. Les deux protègent notre santé.

- Quand on descend sous la barre des 7°C, la pomme de terre devient plus sucrée (ses sucres lents se transforment en sucres plus rapides !). Voilà pourquoi il faut éviter de la placer au réfrigérateur.
- Selon sa préparation, l'intérêt nutritionnel varie considérablement. L'idéal reste le légume cuit vapeur, suivi de la cuisson douce à l'étouffée, puis de la robe des champs. La purée maison reste acceptable, mais les purées en sachet, les frites et les chips sont nettement moins recommandables : plus on la « tripote », plus l'index glycémique de la pomme de terre augmente.

Astuces de pro

- Essayez toutes les variétés de pomme de terre ! Les primeurs sont délicieuses mais leur densité nutritionnelle est un peu faible car elles sont cueillies avant complète maturité. Attention, il faut impérativement cuire les primeurs à cœur car leur taux de solanine est souvent élevé.
- À chaque usage sa pomme de terre :
  - **Les variétés à chair fondante :** on en trouve une trentaine commercialisées sous les noms de Mona lisa, Nicola ou Samba. Ce sont elles qui terminent en gratin ou en plats mijotés parce qu'elles volent tous les goûts des ingrédients avec lesquels elles partagent l'espace exigu de leur plat !
  - **Les variétés à chair ferme :** on peut en faire à peu près ce qu'on veut, elles resteront fermes, comme leur nom l'indique. Papillotes, vapeur, à l'eau, au four, en salades, poêlées, rissolées, pour la raclette : tout leur va ! Vous

connaissez leur petit nom par cœur : Roseval, Charlotte, Amandine, Pompadour, Ratte, Belle de Fontenay…

– **Les variétés à chair tendre :** avec elles, les purées dépotent, les potages fondent, les frites sont top… La Binje, la Manon ou l'Agria revendiquent deux propriétés. Un : mieux pourvues en matière sèche, elles se délitent facilement dans le bouillon. Deux : elles absorbent moins de matières grasses que les autres variétés.

- Choisissez des pommes de terre de même format pour harmoniser la cuisson.
- Si vous épluchez vos pommes de terre, il faut les rincer puis les sécher ensuite dans un torchon.
- Une bonne partie des vitamines, minéraux et fibres se trouve dans la peau et juste en dessous. Il est donc conseillé de la conserver, à condition d'avoir soigneusement nettoyé les légumes avant leur préparation. Cependant, si la peau est verte par endroits ou qu'elle contient de nombreux « yeux », mieux vaut l'éplucher. De plus, certains agriculteurs arrosent généreusement leurs tubercules de produits chimiques destinés à éviter leur germination (sauf les bio). Ce qui ne donne pas très envie de manger la peau… (sauf celle des bio !).
- La pomme de terre doit être obligatoirement cuite car ses amidons crus ne sont pas comestibles. Seul son jus peut éventuellement être avalé cru, mais il faut aimer…
- Éliminez toutes les parties agressées et ne consommez pas les germes, ils contiennent des substances toxiques.
- Les seules cuissons recommandées sont la vapeur,

la cocotte en fonte et l'eau. Au four si vous y tenez vraiment.

- Les frites, les pommes dauphines et les chips annulent toutes les vertus diététiques de la pomme de terre, tout en la handicapant de dizaines de produits toxiques (générés par la cuisson à haute température) et d'excès de sel (favorisant la rétention d'eau et l'hypertension). Sans parler de la quantité d'huile faramineuse absorbée par le légume (donc par vous), qui est, de plus, d'une qualité souvent fort douteuse. Même remarque pour les pommes de terre sautées, moins pires mais non conseillées. La consommation de ce type de produit doit rester occasionnelle.
- La purée, pourquoi pas, mais préférez-la à l'huile d'olive plutôt qu'au lait, à la crème et/ou au beurre, peu digestes.

Recette spécial débutant

Purée verte

1 kg de pommes de terre • 1 kg d'épinards • 1 grosse noix de beurre • Un peu de lait chaud • Muscade râpée

① Faites chauffer de l'eau dans une grande casserole. Rincez les pommes de terre et coupez-les (sans les éplucher). Rincez les épinards.

② Jetez les légumes dans l'eau (presque bouillante) et comptez 20 minutes de cuisson à partir de l'ébullition.

③ Mixez le tout (si possible avec un robot plongeur) ou passez au moulin à légumes.

④ Ajoutez le beurre et le lait jusqu'à obtenir la consistance souhaitée. Parsemez de muscade.

Ça alors !

Dans l'idéal, achetez vos pommes de terre avec encore un peu de terre, c'est-à-dire chez un marchand de patates. C'est le plus simple et le plus sain. Parce qu'en grande surface, la terre, non merci : pas de ça à la maison. Il paraît que les clients trouvent ça « sale ». Erreur : la terre protège les tubercules. Les patates vendues en grande distribution sont donc beaucoup plus fragiles et subissent des traitements afin de ralentir le développement des germes. Bien compliqué tout ça…

LE POTIRON (COURGES)

Calories = 30/100 g

Les principaux apports nutritionnels (pour 100 g) :

Carotènes = 2 mg
Fibres = 1,3 g
Potassium = 323 mg
Vitamine C = 7 mg
Calcium = 10 à 50 mg

- Carotènes = c'est l'un des légumes les mieux pourvus. Plus il est orange, plus il en contient
- Fibres = elles sont douces et très bien tolérées
- Potassium = riche en potassium et pauvre en sodium : parfait !
- Vitamine C = consommez-le rapidement car le taux de vitamine C chute rapidement
- Calcium = une teneur non négligeable même si elle n'est pas record

C'est la saison ! Les potirons et autres courges d'hiver sont parfaits… en automne.
Ça se conserve comment ? Jusqu'à 1 mois à température ambiante (dans un endroit sombre et frais). Dès qu'il est ouvert, donc en tranches, 3 jours grand maximum dans le bac à légumes du frigo.
Ça se congèle ? Déconseillé (sauf si vous avez préparé trop de soupe au potiron pour Halloween !).
Ça se mange cru ? Non, même si c'est possible.
Cuisson conseillée ? Au four, tel quel, pendant 40 à 45 minutes pour un potiron de petite taille. Adapter le temps de cuisson selon le calibre.

Capital santé

- C'est l'un des légumes les moins caloriques et les plus riches en vitamines et minéraux. Hourra !
- Il est diurétique, il fait donc « dégonfler ».
- Il contient différents carotènes : certains participent plutôt à la croissance et sont particulièrement indiqués pour les enfants et les femmes enceintes ; d'autres protègent surtout la peau ; d'autres encore sont antiâge. Les carotènes doivent être consommés en abondance par les

fumeurs, les personnes vivant dans un environnement pollué, les sportifs, les malades sous traitement médical.

ASTUCES DE PRO

- Les courges les plus connues sont le potiron et le potimarron.
- Tant qu'il est intact, il se conserve très bien. Dès qu'il est entamé, il devient très fragile. Recouvrez impérativement sa chair exposée d'un film plastique et consommez-le dans les 3 jours.
- Vous pouvez couper des cubes et les faire cuire dans un mélange eau/lait. Facile, mais pas idéal car le potiron contient déjà 90 % d'eau ! Les spécialistes conseillent la vapeur ou la cuisson au four. Cela évite à la chair de se gorger d'eau.
- On peut très bien ajouter quelques cubes de potiron parmi les autres légumes d'un couscous.
- Servez la soupe au potiron directement dans le légume creusé. S'il s'agit d'une petite tablée, remplacez par un potimarron. Ce potage se marie très bien avec du haddock ou du jambon cru. Avec une touche de safran, c'est divin.
- Sa saveur rappelle le sucre, le potiron se marie donc mal avec les vins rouges.
- On peut râper du potiron cru, exactement comme une carotte. Mais vous ne profiterez pas des carotènes, qui ont besoin de cuisson pour être absorbés.
- Pour les desserts, optez pour les variétés « sucrine » ou « butternut ». Et sachez que le citron, l'orange, les pommes, les noix et le gingembre lui vont très bien au teint.

Recette spécial débutant

Soupe thaïe au potiron

450 g de cubes de potiron • 1 oignon • 2 cuillères à soupe d'huile d'olive • 1 cuillère à soupe de pâte de curry • 1 cuillère à soupe de purée de tomate • 50 cl de bouillon • 40 cl de lait de coco

① Faites chauffer l'huile d'olive dans une grande casserole. En même temps, laissez fondre 1 bouillon cube dans un peu d'eau.

② Épluchez l'oignon, taillez-le en tranches et jetez-les dans l'huile. Laissez cuire 1 minute.

③ Ajoutez la pâte de curry et la purée de tomate. Laissez fondre 30 secondes en mélangeant.

④ Ajoutez le potiron. Laissez « mariner » le tout quelques minutes, puis recouvrez du bouillon.

⑤ Attendez encore quelques minutes, puis ajoutez le lait de coco. Laissez cuire 10 minutes à couvert, puis 5 minutes sans couvercle.

⑥ Mixez jusqu'à ce que le potage soit bien lisse. S'il s'est un peu refroidi pendant l'opération, réchauffez-le rapidement.

Ça alors !
La soupe au potiron « punition » est devenue, avec la célébration d'Halloween, l'archétype du potage branché. Et franchement, en guise de punition, il y a pire ! Moins classique : plutôt que de jeter vos graines de potiron, lavez-les, séchez-les, puis plongez-les dans du blanc d'œuf salé (pour bien les enrober). Ressortez-les puis passez-les 20 minutes au four. Grignotez à l'apéritif : c'est étonnant et délicieux !

LE RAISIN

Calories = 60 à 80/100 g

Les principaux apports nutritionnels (pour 100 g) :

Fibres = 0,7 g
Potassium = 250 mg
Calcium = 19 mg
Acides organiques = 1,2 g
Vitamine E = 0,7 mg
Bore = 1200 mg

- Fibres = douces, mais les intestins fragiles éviteront la peau et les pépins
- Potassium = toutes les variétés en apportent une quantité importante
- Calcium = une source très honorable
- Acides organiques = ils alcalinisent notre milieu interne, souvent trop acide
- Vitamine E = un apport non négligeable
- Bore = un des aliments les plus riches en cet oligoélément assez rare

C'est la saison ! D'août à novembre (selon variétés).
Ça se conserve comment ? 4 jours à température ambiante (dans un endroit frais, sombre et sec).
Ça se congèle ? Non.
Ça se mange cru ? Oui
Cuisson conseillée ? Déconseillée. Quoique, quelques minutes à la poêle…

	VARIÉTÉ	COMMENTAIRES
NOIR	Muscat de Hambourg	Petits grains. Peau très fine. AOC (Provence). À consommer cru ou à faire cuire rapidement (quelques minutes à la poêle avec une volaille, un foie de veau, une côte de porc, par exemple).
	Alphonse Lavallée	Gros grains assez fermes. Parfaits pour une cuisson un peu longue (tarte, clafoutis).
	Ribol	Gros grains ovales, pépins durs.
BLANC	Chasselas	Petits grains. Peau très fine. AOC (Moissac). À déguster cru, seul ou dans des salades sucrées/salées.
	Italia	Gros grains, craquants, très juteux. La cuisson mijotée est faite pour lui (faisan, pintade…) et il est parfait pour la version « au caramel » ou « au chocolat ».

CAPITAL SANTÉ

- Le raisin foncé (cépage noir) est plus riche en substances protectrices que le raisin clair (cépage blanc). Il contient notamment des flavonoïdes, qui potentialisent l'action de la vitamine C.
- La réputation des « cures de raisins détoxifiantes » n'est pas usurpée ! Sans tomber obligatoirement dans la monodiète, pratiquée par de nombreuses personnes à l'automne, prenez l'habitude de déguster une grappe au quotidien en saison.
- Les antioxydants contenus dans la peau se combinent à ceux des pépins pour une protection cardiaque optimale. Si on ne souffre pas d'intestins fragiles, il faut les consommer entiers !
- Malheureusement, en raison de leur très haute teneur en fibres, les pépins et la peau sont parfois mal tolérés par les personnes au côlon sensible. Dans ce cas, mieux vaut opter pour du jus de raisin, ou encore chercher du raisin apyrène (sans pépins), dont on peut facilement recracher la peau. Les variétés : Alvina, Danuta et Madina.
- Le raisin est diurétique : il stimule le travail des reins et prévient la rétention d'eau.
- Il contient du resvératrol, une substance anticoagulante très efficace contre les troubles de la circulation.
- Le raisin apporte principalement des sucres rapides (fructose et glucose). Les diabétiques doivent en tenir compte. En raison même de la nature de ces sucres, il est recommandé aux sportifs et aux personnes qui ont besoin d'une énergie immédiate, d'un petit coup de fouet.

Astuces de pro

- La pellicule blanchâtre qui peut recouvrir les grains est naturelle. Rien à voir avec des pesticides ! En revanche, il faut tout de même bien rincer le raisin, dont la peau héberge des particules nocives : levures, moisissures, résidus de traitements…
- N'achetez que des grappes belles et pleines. Les grains doivent rester bien accrochés à la rafle (tige). Dès le retour du marché, retirez les grains endommagés avant qu'ils ne contaminent les autres.
- Le raisin peut promener sa petite bouille ronde dans de très nombreux plats et salades. Et les clafoutis ou les tartes aux raisins, alors ?
- Simplement dorés à la poêle dans très peu de beurre (ou dans la graisse du canard ou du foie qui cuit) les grains de raisins sont délicieux. Comme ils sont déjà assez caloriques, car très sucrés, inutile d'en rajouter (du sucre).
- Il se marie à merveille avec la plupart des fromages et des autres fruits. Et, pour les gourmands, avec le chocolat (trempez de gros grains de raisin croquants dans du chocolat fondu et laissez sécher, si vous en avez la patience…)
- Le top : faites tremper un par un des grains de raisin dans du caramel clair, et laissez sécher. Un must à servir avec le café.

Recette spécial débutant

Raisins secs maison
1 grappe de raisin

① Détachez les grains un par un et rincez-les.

② Après avoir cuit longuement quelque chose au four (par exemple un hachis parmentier ou des lasagnes), laissez-le allumé thermostat 2 et déposez vos grains de raisin sur une plaque. Enfournez. Oubliez-les pour qu'ils se dessèchent pendant 2 heures, porte du four entrouverte.

③ Pas encore assez secs à votre goût ? Laissez-les encore, jusqu'à ce qu'ils atteignent la texture souhaitée.

Ça alors !
Il y a le raisin à vin, et le raisin de table. À chaque variété sa personnalité, mais vous en profiterez mal si vous ne sortez vos fruits du réfrigérateur qu'au dernier moment. Dans l'idéal, ils ne devraient même pas connaître le froid, mais si vous n'avez pas le choix, sortez au moins les grappes en tout début de repas, qu'elles aient le temps de redéployer tous leurs arômes.

LA SALADE

Calories = 13/100 g

Les principaux apports nutritionnels (pour 100 g) :

Fibres = 1,5 g
Potassium = 234 mg
Calcium = 37 mg
Carotènes = 0,36 mg
Vitamine B9 = 0,08 mg

- Fibres = bonne source de fibres douces
- Potassium = n'annulez pas ses effets en inondant vos feuilles sous une vinaigrette trop salée !
- Calcium = un apport correct
- Carotènes = une bonne source de carotènes… verts !
- Vitamine B9 = la vitamine de la femme par excellence

C'est la saison ! Toute l'année.
Ça se conserve comment ? 2 jours au réfrigérateur. Prélevez les feuilles nécessaires à chaque repas, rincez-les et remettez la salade restante telle quelle dans le bac à légumes.
Ça se congèle ? Non.
Ça se mange cru ? Oui.
Cuisson conseillée ? Déconseillée (ou alors à l'étuvée dans une casserole pendant quelques minutes, avec un fond d'huile d'olive).

Capital santé

- Il existe une centaine de salades aux propriétés voisines. Quelques-unes sont originales, comme le pourpier ou la mâche (sources d'acides gras protecteurs – oméga 3 – comme les poissons gras !) ou l'oseille (très diurétique).

- La salade permet de commencer un repas par une crudité, ce qui devrait devenir un réflexe. Elle se révèle un coupe-faim appréciable en augmentant le volume des aliments dans l'estomac pour un apport calorique quasiment nul.
- Les intestins fragiles éviteront la partie centrale des feuilles, mais tolèrent bien les fibres des jeunes pousses.
- Plus les feuilles sont foncées, plus elles sont riches en vitamines et minéraux (jusqu'à 50 fois plus !). C'est surtout le cas pour la vitamine B9, précieuse parmi les précieuses.
- La salade participe à la protection cardio-vasculaire et anticancer, en particulier de l'estomac.
- Les chicorées (scarole, frisée, trévise…) contiennent des substances protectrices pour le foie et qui aident à digérer. La frisée est une source méconnue de fer : 2,8 mg pour 100 g.
- Le pissenlit est très riche en carotènes (8,4 mg), en calcium (165 mg), en fer (3,1 mg), en vitamine E (2,5 mg)… bref : du concentré de nutriments pour un apport calorique très faible. Cru ou cuit, pensez à lui.

Quelle salade !	
☺ La plus riche en antioxydants	La frisée rouge et le mesclun
☺ La plus riche en fibres	La romaine
☺ La plus alcalinisante	Toutes
☺ La plus riche en oméga 3	La mâche

Astuces de pro

- Il faut toujours laver minutieusement les salades feuille par feuille sous un filet d'eau afin d'éviter tout risque de contamination bactérienne. Ce simple geste d'hygiène permet aussi d'évacuer une bonne partie des éventuels résidus de pesticides. Ne laissez pas tremper la salade : les minéraux migrent dans l'eau, puis dans le siphon de l'évier. Dommage.
- La salade est prétexte à consommer votre quota de bons acides gras en choisissant bien l'huile : olive et colza, c'est très bien. Rien n'empêche d'utiliser de temps à autre de l'huile de noix (avec des noix !) ou de l'huile de pépins de raisin (avec des raisins !).
- Soyez inventif, ne vous contentez pas tous les jours d'une salade verte : ajoutez ail, oignons, tomates, cubes de fromage, olives, fruits coupés, etc.
- Séchez bien vos feuilles si vous voulez que la vinaigrette y adhère… au contraire laissez-les humides si vous préférez que les matières grasses restent au fond du saladier !
- Insérez toujours une ou deux feuilles bien vertes dans vos sandwiches.
- Assaisonnez la salade au dernier moment pour lui laisser son croquant. Quoique l'on trouve des amateurs de salade « cuite » dans la vinaigrette.
- La « vraie » salade cuite est démodée, et pourtant une cuisson courte permet de garder tout son croquant (et la majorité de ses vitamines) à ce légume d'accompagnement. Émincée dans une poêle et rapidement revenue à l'huile d'olive, sa saveur est douce et originale.
- On peut parfaitement se lancer dans un potage de salade, à condition de lui adjoindre du consistant :

pomme de terre par exemple.

- La Rolls des salades reste le mesclun, un mélange de diverses salades tendres et d'herbes. Extrême fraîcheur de rigueur.

Recette spécial débutant

Salade au chèvre chaud

1 laitue (ou n'importe quelle salade verte, après tout…) • 1 crottin de chèvre ou 2 Cabécous

① Préchauffez le four pendant que vous rincez les feuilles de salade une par une et que vous les essorez.

② Enfournez vos 2 cabécous ou votre crottin coupé en deux dans le sens horizontal (plus le fromage est fin, plus il fondra vite). Laissez chauffer jusqu'à obtenir la texture souhaitée.

③ Pendant ce temps, assaisonnez votre salade à la Daguin (voir « *ça alors !* »). Posez vos fromages sur la salade. Dégustez immédiatement.

Accompagnez cette salade d'un très bon pain.

Ça alors !

Si vous souhaitez que votre salade reste bien croquante tout au long du repas, assaisonnez-la façon Daguin. Plutôt que de lui adjoindre de la vinaigrette, commencez par verser dessus huile d'olive + poivre, enrobez bien les feuilles, puis ajoutez vinaigre + sel : ces derniers viendront relever la salade sans l'agresser.

LE SOJA (GERMES)

Calories = 53/100 g

Les principaux apports nutritionnels (pour 100 g) :

Fibres = 2 g
Vitamine C = 82 mg
Vitamine E = 0,9 mg
Calcium = 40 mg

- Fibres = très douces et très bien tolérées
- Vitamine C = un excellent taux, qui favorise l'assimilation du calcium
- Vitamine E = avec la vitamine C, elles font la paire (ce sont deux vitamines antioxydantes majeures)
- Calcium = un taux intéressant, d'autant que les enfants apprécient ce légume

C'est la saison ! Toute l'année.
Ça se conserve comment ? 2 jours maxi dans le bac à légumes du frigo, entouré d'un torchon ou, mieux, dans une boîte type Tupperware. Mais l'ultra-frais est conseillé.
Ça se congèle ? Non.
Ça se mange cru ? Oui.
Cuisson conseillée ? 5 minutes au wok, à la poêle.

Capital santé

- Les germes de soja ne sont pas les germes du soja ! (une légumineuse, le soja jaune, d'où l'on tire le tofu, le miso, etc.). En fait, ils se rapprocheraient plutôt du haricot vert. D'ailleurs, tout comme ce dernier, les germes de soja (on les appelle aussi le soja vert, ou « haricot mungo ») n'ont rien à se reprocher, même s'ils ne présentent pas de propriétés diététiques extraordinaires. Le « vrai » soja n'a strictement rien à voir sur le plan nutritionnel.

- Comme toutes les graines germées, celles de soja sont riches en micronutriments, facilitent notre digestion tout en étant très peu caloriques.
- D'un point de vue botanique, la germination représente la période durant laquelle la plante fait preuve de la plus grande vitalité. Elle explose littéralement de vitamines et de minéraux. On peut facilement faire germer la plupart des graines soi-même. Il suffit de laisser tremper les lentilles, l'alfalfa, l'avoine, le blé ou l'orge pendant une nuit dans 3 fois leur volume d'eau. On égoutte et on garde le récipient à température ambiante en n'oubliant pas de rincer les graines matin et soir. Au bout de quelques jours, elles germent (le temps d'attente dépend de la variété). Consommez-les alors le plus vite possible, dès la germination. Ne « récoltez » que les germes frais et élastiques, pas les humides, peu appétissants. Préparation : soit cru, en salade ou dans un sandwich, soit cuit comme décrit plus bas.

Astuces de pro

- Les germes sont très fragiles et ne se consomment qu'hyper-frais. Ne comptez pas les stocker : même au réfrigérateur, ils deviennent mous, s'oxydent, prennent un goût acide.
- Nous avons l'habitude de les préparer en salade (crus), où ils sont particulièrement croquants et

à l'aise avec tout ce qu'on leur adjoint. Mais ils se prêtent à toutes les fantaisies. Les carrés de jambon leur vont à ravir : préparez un mix de lanières de carottes, de haricots verts cuits (si possible tièdes) et de germes, essayez d'attacher le tout avec un brin de ciboulette (ou faites semblant), et cachez l'ensemble dans une tranche de très bon jambon, que vous roulez. Une version inattendue de l'endive au jambon. On peut aussi faire revenir les germes une petite minute à la poêle légèrement huilée avant de préparer ce plat.

- La cuisson au wok respecte son croquant et préserve toutes les couleurs d'une poêlée de brocolis, tomates, germes, poivrons, champignons (noir si vous voulez rester dans le style asiatique) qui accompagneront à peu près n'importe quelle viande ou poisson. Envie de végétal exclusivement ? Alors ajoutez du riz et des amandes grillées ! Le soja cuit est le légume de base du célébrissime « chop suey ».
- S'il évoque la cuisine chinoise, il est néanmoins cultivé en France et peut s'utiliser comme n'importe quel autre légume, dans toutes les salades ou plats, même les moins exotiques. Par exemple, mélangez-le à des pâtes – fraîches si possible – et ajoutez quelques cubes de tomates ainsi que des pignons de pin. Alors ?

Recette spécial débutant

Côte de veau au soja
1 poignée de soja • 1 côte de veau • Huile d'olive • Sel, poivre

① Dans une poêle chaude, faites cuire votre côte de veau dans un petit peu d'huile d'olive. Une fois la viande quasiment prête, jetez dans la poêle vos germes de soja (1 à 2 minutes avant la fin de la cuisson, grand maximum).

② Laissez à feu assez fort pour bien déployer les arômes. Servez sans attendre.

Le soja ne cuit pas plus de 2 minutes, sinon il devient mou et perd tout son charme !

Ça alors !
Normalement, les germes de soja sont proposés frais et prêts à l'emploi (propres), au rayon fruits et légumes. Mais la confiance n'exclut pas le contrôle, ni un petit rinçage vite fait.
Le soja en bocal ou en boîte mérite même un petit rafraîchissement. Jetez vos germes dans une grande quantité d'eau froide. Laissez-les tranquillement rejoindre le fond : vous pouvez jeter tout ce qui reste en surface.

LA TOMATE

Calories = 15/100 g

Les principaux apports nutritionnels (pour 100 g) :

Fibres = 1,2 g
Potassium = 250 mg
Vitamine C = 18 mg
Vitamine E = 1,2 mg
Carotènes = 1715 µg

- Fibres = pas très nombreuses mais digestes
- Potassium = riche en potassium et pauvre en sodium, comme la plupart des légumes
- Vitamine C = elle potentialise l'action du lycopène
- Vitamine E = la teneur dépend du mode de culture
- Carotènes = c'est au lycopène que la tomate doit sa couleur rouge

C'est la saison ! De juillet à octobre.
Ça se conserve comment ? Jusqu'à 4 jours à température ambiante.
Ça se congèle ? Non (sauf si vous avez préparé trop de sauce ou de tomates farcies !)
Ça se mange cru ? Oui.
Cuisson conseillée ? 15 minutes à la poêle ou 20 minutes au four.

Capital santé

- La tomate est très riche en antioxydants. Vitamines C et E, carotènes (bêtacarotène, lycopène), flavonoïdes (quercétol)…
- Elle protège du cancer de la prostate. Pour bénéficier de la substance impliquée, le lycopène, il est nécessaire de cuire la tomate et d'y ajouter de l'hui-

le d'olive. En effet, le lycopène se libère à la chaleur et son action est potentialisée par celle d'un corps gras. La sauce tomate et la pizza « maison » sont donc tout indiquées.

- L'effet bénéfique du lycopène est renforcé par les vitamines C et E.
- Pour ménager les intestins fragiles, il est conseillé d'ôter la peau et les pépins des tomates.

Astuces de pro

- Contrairement aux apparences, les tomates ont une saison : c'est du 15 juillet au 15 octobre. On se régale alors de tomates françaises, cultivées en pleine terre. Sinon, ce sont soit des tomates d'importation, soit des tomates de culture hors-sol.
  Elles ensoleillent notre été !
  - **Les tomates cerise :** on en trouve de différentes couleurs (rouges, jaunes), de différentes formes (petites, plus grosses, en « poire »). Elles roulent aussi dans les plats de pâtes, mais il faut alors les couper en deux. Un peu dommage, on aime tellement les croquer et sentir leur jus exploser en bouche…
  - **Les tomates allongées :** la roma et l'olivette sont dévolues à la préparation des sauces et autres conserves. Leur chair est dénuée de pépins (ou presque) et peu juteuse.
  - **La classique tomate ronde** est polyvalente, elle est de tous les pique-niques mais tient aussi son rang dans n'importe quelle préparation.
- Une tomate un peu verte finit par mûrir tranquillement. En revanche, bien mûre, elle se conserve mal : à consommer tout de suite !

- Les tomates sont conciliantes : elles aiment à peu près tous les autres légumes, et la grande majorité des plats les acceptent. Les versions « méditerranéennes » c'est-à-dire avec huile d'olive, ail et autres légumes du soleil sont très tendance. Les tomates adorent aussi la semoule, les œufs, les pâtes et le riz.
- En entrée, crue à croquer ou sous forme de salade, elle stimule les sécrétions digestives et améliore l'assimilation du repas tout entier. Il suffit de rincer la belle, de la tailler en rondelles, de l'habiller de quelques gouttes d'huile d'olive versées en pointillées, de la parsemer de ce que vous voulez (oignons, herbes, sel, poivre, citron…) et de n'en faire qu'une bouchée…
- Un peu fades, vos tomates ? Quelques gouttes de vinaigre balsamique rattrapent le coup.
- Pour épater : préparez des tomates séchées en disposant de fines tranches de tomates sur un plat que vous oubliez au four pendant 2 heures minimum. Basse température surtout, pour ne pas brûler mais seulement assécher.
- Les jus de tomate tout prêts sont souvent trop salés. Lisez bien les étiquettes.
- Les tomates en boîte ? Pourquoi pas. Mais préférez les récipients en verre car leur acidité attaque les revêtements de plastique ou de métal.

Recette spécial débutant

Tomates gratinées

3 tomates • 1 ou 2 tranches de pain sec (à défaut, des biscottes) • Huile d'olive

① Préchauffez le four (surtout le gril). Coupez les tomates en deux dans le sens horizontal.

② Mixez le pain sec ou les biscottes. Répartissez cette « panure » sur les tomates.

③ Ajoutez un filet d'huile d'olive et enfournez près du gril pour « gratiner ». Dégustez dès que la texture et la couleur vous conviennent.

Ça alors !
Pour éplucher facilement une tomate, incisez-la légèrement et plongez-la quelques minutes dans l'eau bouillante : la peau se détache toute seule. Cela s'appelle « monder une tomate ».

SOMMAIRE DES RECETTES

Impression réalisée par

CPI
BRODARD & TAUPIN

La Flèche (Sarthe), le 09-04-2010
57430 – Dépôt légal : février 2008
Imprimé en France